BRENIN Y TRENYRS

Brenin y Trenyrs

Pryderi Gwyn Jones

Gwasg Carreg Gwalch

Argraffiad cyntaf: 2020
Ail argraffiad: 2024
Hawlfraint Pryderi Gwyn Jones

Rhif Llyfr Safonol Rhyngwladol:
978-1-84527-733-8

CYNGOR LLYFRAU CYMRU

Cyhoeddwyd gyda chymorth Cyngor Llyfrau Cymru

Dylunio: Eleri Owen
Llun clawr a lluniau: Huw Richards

Cyhoeddwyd gan Wasg Carreg Gwalch,
12 Iard yr Orsaf, Llanrwst, Dyffryn Conwy, Cymru LL26 0EH.
Ffôn: 01492 642031
e-bost: llyfrau@carreg-gwalch.cymru
lle ar y we: www.carreg-gwalch.cymru

Argraffwyd a chyhoeddwyd yng Nghymru

I Mam a Dad

Diolch i Nia, Non ac Efa.
Diolch i Huw am dynnu llunia'.
Diolch i Myrddin, Llio, Karina, Anwen a Manon.

1. Y Wal

Wnes i gerdded heibio'r siop i ddechra a sbio drwy'r ffenast i gael gweld pwy oedd tu mewn iddi a phwy oedd yn gweithio yna'r diwrnod hwnnw. Dwi'n licio gwbod hynny cyn mynd i mewn. Y boi ifanc 'na sydd yn meddwl lot ohono fo'i hun, neu'r hogan 'na heb fynadd efo neb na dim. Weithia byddai'r ddau yna. Weithia byddai'r rheolwr yna hefyd, ac adeg hynny byddai'r ddau arall yn actio'n wahanol ac yn glên i gyd.

Roedd hi'n weddol gynnar ar fore dydd Sadwrn – tua hanner awr wedi deg – erbyn i Mam y 'ngollwng i tu allan i'r stesion. O'n i wedi agor y drws a bron â chamu allan o'r car pan gofiodd hi fod 'na bythefnos wedi mynd heibio a gesh i bum punt ganddi. Yr un faint ag arfer, er 'mod i wedi gobeithio cael mwy, a 'di croesi 'mysedd yr holl ffordd o'r tŷ. Dwi'n gwbod rŵan fod hynna ddim yn gweithio. Basa pum punt yn ddigon i gael rhwbath i ginio a rhwbath i yfad ond fasa 'na ddim llawer ar ôl wedyn i'w roi yn y drôr gwaelod. Pum punt bob yn ail ddydd Sadwrn. 'Di o ddim yn swnio'n llawer ond mae o'n hanner awr o waith i Mam yn y lle mae hi'n gweithio rŵan.

Y boi ifanc sy'n meddwl lot ohono fo'i hun oedd yn y siop. Mi welish i o yn sefyll tu ôl i'r til yn ei grys streips du a gwyn, fel crys reffarî yr NFL yn America, ac yn siarad ar ei ffôn. Doedd 'na neb arall yna, felly.

Mi gerddais i heibio a thindroi ryw 'chydig a sbio drwy ffenast y siop drws nesa ar betha do'n i ddim isio nhw o gwbl. Cardia mawr efo calonnau arnyn nhw a thedi bêrs a balŵns a ballu. Wedyn, es i 'nôl at y siop o'n i isio bob dim ynddi, bob dim oedd yn fy ffitio i, beth bynnag, 'Sgidlocyr. Sleidiodd y drysau ar agor a sbïais i fyny ar y sgrin i wylio fy hun o'r cefn yn cerdded i mewn yn chwithig i gyd. Côt rhy fawr ac anfarth o hwd arni hi a dim digon o sgwydda gen i i'w llenwi hi'n iawn. Gwallt fath â nyth ar y top hefyd er 'mod i wedi rhoi dŵr arno fo peth cynta bore 'ma. Do'n i ddim yn gallu gweld fy nhraed o'r ongl yna.

"See ya, mate," medda'r boi wrth ei ffrind go iawn a "Iawn, matey?" wrtha i. Rhoddodd ei ffôn i ffwrdd ac yn ei bocad achos dydy o ddim i fod ar y ffôn os oes 'na rywun yn y siop – geith o ddim sbio ar y sgrin nac ateb na dim. Dwi'n gwbod petha fel 'na achos 'mod i wedi bod yma reit aml ac wedi sylwi ar y peth. Fel arfer, wnes i ddim ateb, jyst cerdded heibio'r cotia a'r topia a'r hwdis a'r crysa ffwtbol a mynd ar fy union am y wal reit yng nghefn y siop. Mae yna lot o walia yn y byd – Wal Fawr China, y wal 'na efo'r graffiti 'Cofiwch Dryweryn' arni hi, a Wal Berlin. Ond y wal liwgar yma ydy pob dim i mi. Nefoedd i fi ydy ei gweld hi. Uffern i fi ydy gorfod gadael heb fedru prynu dim byd. Byth. Hon 'di Wal y Trenyrs.

Ro'n i'n gwbod y bydden nhw yna, ar y wal, ar silff

fach jyst allan o 'nghyrraedd i. Ond wnes i sbio ar y rhai ar y silff isa i ddechra – trenyrs duon, trenyrs gwynion a rhai du a gwyn efo'i gilydd. Wedyn rhai merched efo tipyn bach o binc neu biws ynddyn nhw. Wedyn wrth godi'n uwch, rhai glas, rhai gwyrdd, rhai llwyd, rhai lliw mwstard a rhai aur. A rhai gwahanol liwia wedyn. A dyna pryd daethon nhw i gil fy llygad i, y rhai dwi wedi bod yn sbio arnyn nhw ar fy ffôn ers oesoedd ac yn darllen amdanyn nhw hefyd. Y petha mwya cŵl dwi 'rioed wedi gweld. Adidas ZX100000.

'Swn i ond yn gallu eu fforddio nhw. Mae fy Gazelles glas i wedi para'n reit dda, o feddwl faint dwi wedi bod yn 'u gwisgo nhw. Ond y diwrnod o'r blaen mi welish i'r tramp 'ma oedd yn ista ar ddarn o gardbord ac yn gofyn i bobl am bres yn gwisgo trenyrs mwy newydd na fi. Do'n i ddim yn gallu stopio sbio arno fo a 'sa Mam efo fi 'swn i wedi cael llond ceg. Mi oedd 'na rai pobl yn rhoi pres iddo fo a'r lleill yn mynd â te neu goffi a donyts iddo fo. Donyts? 'Swn i wedi bod allan drwy nos 'swn i ddim isio blincin donyts.

"Pa rai t'isio weld heddiw, boi?"

Cwestiwn sy'n dangos 'mod i wedi bod yma yn sbio ar betha ambell dro a'i fod o yn fy nghofio i, siŵr iawn. Mi fetia i fod o'n cofio maint fy nhraed i hefyd. O na!

"Y ZX100000 'na plis."

Mi bwyntiais i atyn nhw'n sydyn ac mi 'stynnodd hi lawr i mi. O'n i'n crynu 'chydig bach ond jyst cyn iddo fo ei rhoi hi yn fy llaw i mi dynnodd 'nôl a gofyn pa seis o'n i isio'i drio – 6?

"Ia, 6 plis." O na! Roedd o yn cofio 'fyd! Cywilydd! 5 ydy fy Gazelles a 4.5 oedd fy nhraed i pan ges i nhw.

"Ocê. Aros funud. Sbia di ar honna am rŵan 'ta, seis 10 'di honna!"

Mae gen i ffordd sbesial o sbio ar drenyrs. Nid sbio dwi'n gwneud i ddechra, erbyn meddwl, ond eu teimlo nhw, pa mor drwm neu ba mor ysgafn ydyn nhw. Wedyn, clywed eu hogla nhw. Anadlu i mewn, ogla rybyr a lledar a phlastig sgleiniog. Ogla newydd sbon. Wedyn, dwi'n sbio arnyn nhw o'r ochr bob tro i weld pa mor gymesur ydyn nhw. Wedyn sbio o'r top i lawr a thu mewn iddyn nhw. Troi'r tafod rhwng fy mysedd i weld y logo a'r maint a 'Made in Vietnam'. Wedyn, dwi'n sbio ar y grips a bodio'r rheiny. Gêm ddyfalu wedyn. Ai gwadnau onglog sydd ganddyn nhw, gwadnau llinellau syth ar draws neu wadnau â chylchoedd fel planedau bach i chi allu troi'n sydyn i wahanol gyfeiriada? Blaen y trenyrs wedyn. Sut bwytha sydd o amgylch eu blaenau nhw? Pwytha bach, bach, tyn fyddai ddim yn agor wrth i chi gicio pêl, neu bwytha hirion, cryfion a fyddai'n datod yn flêr fesul un ac un yn y diwedd? Y cefn wedyn. Oedd y logo yna? Mae 'na g'ria gwahanol i'w cael hefyd, rhai un lliw a rhai streipiog a rhai fflat a rhai mwy crwn. Mae 'na rai sbesial sy byth yn agor hefyd a dwedodd rhywun fod 'na rai sy'n clymu eu hunain, rywsut. 'Sa rheiny'n handi i Velcro, y boi 'na yn 'rysgol mae ei fam o'n dal i brynu sgidia heb g'ria iddo fo!

"Dyma ti, boi."

Waw, dyma nhw yn y bocs a'r bocs 'di cael ei roi yn fy nwylo i. Roedd y boi ifanc wedi bod reit hir – checio'i ffôn yn y cefn, mae'n siŵr, ond roedd hi'n werth aros i weld y bocs mawr glas a'r tair streipan wen arno fo. I be oedd isio'r tylla yna ar ochr y bocs? I'r trenyrs gael anadlu, siŵr iawn. Pan agorish i'r bocs yn slô bach, a symud y papur llwyd 'na i un ochr mi o'n i'n disgwyl i ryw ola mawr ddod ohono fo fyddai'n ddigon cryf i oleuo fy wyneb i a goleuo'r siop i gyd hefyd. O'n i'n sbio ar y trenyrs gora, mwya cŵl oedd posib eu cael, yn do'n. ZX1OOOOO. Rhain o'n nhw. Dwy lythyren ola'r wyddor bron, yn dangos bod 'na ddim rhai gwell i ddod ar ôl y rhain ac roedd y rhif 'na'n reit fawr hefyd. Petha i'w fframio oedd y rhain, siŵr iawn, neu eu rhoi mewn bocs gwydr mewn amgueddfa yn rhwla. Nid i'w gwisgo ro'n nhw'n da. Ond rhyw ddiwrnod, fe fyddai gen i bâr ohonyn nhw. Rhyw ddiwrnod, ond dim heddiw. Mi wnes i roi'r papur 'nôl amdanyn nhw a chau caead y bocs.

2. Byth yn gofyn dim byd am yr Xbox

Mae hi'n cymryd un deg pedwar munud imi gerdded adra o ganol dre. Os dwi'n rhedeg mi alla i ddod 'nôl i'r tŷ, cau drws ac ista ar soffa mewn naw munud. Dyna ydy'n record i, ond o'n i'n hanner marw ar ôl cyrraedd adra. Tybad mewn faint faswn i'n gallu cyrraedd 'nôl yn y ZXs 'na? Ga i weld ryw ddiwrnod, gobeithio.

Weles i ddim llawer o neb ar fy ffordd adra, dim ond Max yn pasio efo'i dad yn y fan ac yn codi ei fawd drwy'r ffenast. Mi driodd o blygu drosodd i ganu corn hefyd ond welish i ei dad o yn ei stopio fo rhag gwneud ac yn ei daro fo ar dop ei ben am hwyl. Mynd i chwara ffwtbol i rwla oedd o fel arfer ar ddydd Sadwrn a thad Max sy'n edrych ar ôl y tîm. Ma nhw'n ffrindia mawr, Max a'i dad. Doedd 'na neb yn tŷ pan gyrhaeddish i adra, wel, neb ond Lisa yn ei llofft a'i ffôn hi'n mynd ping ping ping rownd y ril. Dydy hi ddim yn dod allan o'i llofft yn aml iawn. Mae hi dair blynedd yn hŷn na fi ac yn gadael ysgol flwyddyn nesa. Pan eith hi i'r coleg dwi'n gobeithio cael ei joban dydd Sadwrn hi yn y caffi. Gawn ni weld 'de. O na! Dwi 'di dechra deud 'Gawn ni weld'. Gawn ni weld ydy bob dim dyddia 'ma – mae'n rhaid bod yna ddiawl o ddim byd yn digwydd rŵan, yn y presennol, dim ond aros i betha ddigwydd yn y dyfodol. Weithia, 'swn i'n licio 'sa petha'n dechra digwydd rŵan achos dwi'n dechra cael llond bol ar aros i betha ddechra newid o hyd ac i fywyd droi'n fwy diddorol.

"Iawn, bro?" medda Lisa ar ôl i fi guro drws ei llofft hi cyn trio ei agor. Mae 'na wastad ryw betha fel ei dillad a'i Superstars hi tu ôl i'r drws ac mae hi wastad efo'i phetha clustia yn gwrando ar fiwsig. O'n i'n gwbod be oedd Lisa'n gwneud cyn imi agor y drws, hyd yn oed. Gorweddian ar ei bol ar ei gwely yn sbio ar ei ffôn.

"Iawn."

"Est ti i dre?"

"Do."

"Gest ti rwbath?"

"Naddo. Oes 'na rwbath i'w fwyta 'ma?"

"Dwi'm yn gwbod. Cer i weld! Cer o 'ma!"

"Mynd o'n i beth bynnag."

Mae'r tŷ mor ddistaw pan dwi adra ben fy hun a Lisa'n anghymdeithasol yn ei llofft. Roedd Dad yn ei waith ar y melinau gwynt. Dydy o ddim yn gweithio bob dydd Sadwrn, ond un dydd Sadwrn o bob tri. Mae o'n gwbod bob dim am sut mae'r melinau 'ma'n troi i wneud trydan ac yn cael dringo'r ysgol y tu mewn iddyn nhw reit i fyny i'r top i gael trwsio'r tyrbin a phetha. Fuodd o ffwrdd yn Denmarc am dri mis un tro yn dysgu mwy amdanyn nhw ac o'n i'n smalio mai fi oedd bos y tŷ adeg hynny. O'n i'n edrych 'mlaen i ddewis teledu newydd a chael Sky Sports, a mynd i 'ngwely pan o'n i isio a phetha fel yna, ond wnaeth 'na ddim byd newid, deud y gwir. Ac ar ôl i'r tri mis fynd heibio daeth Dad 'nôl adra efo llwyth o Lego anodd i fi, a phetha i Mam a Lisa hefyd, siŵr iawn. Roedd y Lego'n boen achos bod Dad yn gofyn imi o hyd os o'n i wedi'i orffen o, ac mi wnes i yn y diwedd a mynd 'nôl i chwara ar yr Xbox. Dydy o byth yn gofyn dim byd am yr Xbox a byth isio gêm chwaith.

PING

Pwy sy 'na rŵan? O! Dyl.

Parc?
Ydy'n bwrw?
Sbia drwy ffenast …
Ydy, ond 'mond 'chydig bach.
Dod?

Iawn 'ta.
Wela i di yna.
Ocê.
Ocê.

Do'n i ddim wir isio mynd i'r parc ond doedd gen i ddim byd arall i'w wneud ac roedd Dyl 'run peth, mae'n siŵr, ar bnawn Sadwrn. 'Dan ni 'di bod yn mynd i'r parc ers pan o'n ni'n blant bach, ac adeg hynny roedd y sleid a'r rowndabowt a'r peth twnnel concrid 'na efo ogla pi pi ynddo fo yn edrych yn anferth. Ond ma pob dim yn edrych yn fach rŵan a 'swn i'n gallu neidio o dop y sleid heb dorri fy nghoes. Erstalwm, top y sleid oedd y lle ucha yn y byd ac roedd gen i andros o ofn ac yn gafael yn sownd sownd efo fy nwy law. Ista ar y swings fyddwn ni rŵan a mynd rownd a rownd mewn cylchoedd bach efo'n traed ar y llawr, yn lle mynd 'nôl ac ymlaen fel dach chi fod i wneud. Dwi'n nabod Dyl yn iawn ac mae o'n fy nabod i hefyd, felly dydan ni ddim yn siarad lot fawr efo'n gilydd, jyst ista yna a siarad 'chydig am drenyrs ac am ofyn i rywun fynd allan efo ni ac am gael mwy o bres. Dydy o na fi erioed wedi gofyn i neb fynd allan efo ni chwaith, dim ond siarad am y peth rydan ni o hyd. Tebyg i hyn ydy'r sgwrs bob tro:

Dyl – Ti am ofyn Lowri allan 'ta? Be sy? Ti ofn iddi ddeud 'Na'?
Fi – Yndw, mae'n siŵr.
Dyl – Ond ma hi'n glên efo chdi ...
Fi – Ydy, rhan fwya o'r amser ond os oes 'na rywun yn tynnu ei choes hi amdana i ma hi'n mynd yn flin ac yn deud petha cas ...

Dyl –   Dim ond un ffordd sydd yna o ffendio allan
        'de.

Fi   –   Ia dwi'n gwbod, mi wna i ofyn iddi hi ar ôl i
        ti ofyn i Kate.

Dyl –   Ella wna i wsnos nesa ...

Ond dydy wythnos nesa byth yn dod. Fel yna mae'r
sgwrs o hyd ac enwa'r merched yn newid bob hyn a hyn,
yn dibynnu ar beth oedd yn digwydd yn 'rysgol o
wythnos i wythnos a phwy oedd yn edrych yn ddel a
ballu.

Dwi 'chydig bach yn genfigennus o Dyl achos mae ei
ben-blwydd o yn o fuan ac mae o am ofyn am drenyrs
Nike Air Pegasus Turbo. Rhai du a melyn ydyn nhw. Ma
nhw'n cŵl iawn, bron mor cŵl â'r Adidas ZX 'na o'n i 'di
bod yn eu gweld yn siop 'Sgidlocyr yn y bore.

"Well fi fynd," medda fi wrth Dyl.

"A finna," medda fo. "Wela i di yn 'rysgol." A dyma
ni'n dau yn mynd 'nôl a 'mlaen y ffordd iawn ar y swings
ac yn rhoi sbonc fach oddi arnyn nhw fel ro'n ni'n arfer
wneud erstalwm ond efo lot llai o ymdrech.

On i'n teimlo 'chydig yn chwil ar ôl bod rownd a
rownd am yn hir ond ddim mor chwil â Lisa ar ôl dod
adra o'r parti 'na a Dad yn gorfod ei helpu hi fyny grisia.
Wedi yfad dau gan o Strongbow, medda hi.

Roedd hi'n dechra nosi rŵan. Ma Mam yn gwneud
cyrri ar nos Sadwrn a'n job i ydy nôl popadoms o'r siop
gornal a mangos os oes angen. Ma Mam yn gneud ei
saws ei hun efo'r rheiny, ac mae o ddigon tebyg i'r un
o'r jar ond ddim cweit mor neis. Llai o siwgwr, medda
hi. Dwi ddim yn deud dim byd. Mae'r cyrri yn neis

ofnadwy a gan fod 'na lond padell a Dad yn trio torri lawr ar carbs a Lisa'n pigo fel deryn bach, dwi'n cael dau blatiad mawr fel arfer.

Ar ôl bod yn gweithio ar ddyddia Sadwrn, mae Dad yn ddistaw tra mae o'n bwyta ac wedyn eith o i ista yn ei gadair yn y parlwr a darllen papur a disgwyl am *Match of the Day*. Dydy o ddim yn hapus iawn pan dwi'n siarad gormod am drenyrs felly wnes i ddim sôn amdanyn nhw. Mae'n bwysig dewis amser da i sôn am betha dach chi isio, yn enwedig os ydyn nhw'n costio ffortiwn.

3. Gwisgo fy wyneb ysgol

Amser rhyfedd ydy bore dydd Llun a gorfod mynd 'nôl i'r ysgol. Dwi isio mynd achos fel arfer dwi wedi cael llond bol adra dros y penwythnos, ac eto dwi ddim isio mynd yn agos i'r lle chwaith. Ond unwaith dwi yna, ma pob dim 'run fath, rywsut, er bod ni'n gwneud petha newydd o hyd. Dwi'n gwisgo fy nillad ysgol, siŵr iawn, a sgidia, dim trenyrs, ond dwi'n meddwl 'mod i'n gwisgo fy wyneb ysgol hefyd. Dwi a phawb arall yn disgyn yn 'nôl i'r hen drefn o ddiwrnod swnllyd, prysur a chinio sydd ddim yn neis iawn.

Y peth rhyfedd ydy bod y dyddiau'n llusgo'n ara deg bach ond bod yr wythnosa'n mynd heibio yn sydyn fel mellten. A'r blynyddoedd hefyd. Dydw i erioed 'di bod yn drist am hanner awr wedi tri, dim ond yn hapus a theimlad fel bod côr gospel yn canu 'Haleliwia' ac yn dawnsio yn fy mhen i. Ond wedyn, dwi'n cerdded adra drwy'r glaw efo Lisa a tydi hynny ddim yn llawer o hwyl.

Ond doedd hi ddim yn hanner awr wedi tri am hir eto ac ro'n i a'r dosbarth cofrestru i gyd yn ista'n un rhes yn y neuadd yn disgwyl i bob dosbarth arall ddod i mewn i'r gwasanaeth. Pam fod 'na rywun yn gollwng ei

din bob bore Llun ac yn drewi'r lle mae o'n ista? Ricky Tripp sy'n gwneud fel arfer, ac yn wahanol i'n teulu ni, ar nos Sul mae Ricky'n cael cyrri. Fo sy'n deud hynny heb ddim cywilydd o gwbl, dim ond chwerthin yn braf. Wedyn mae o'n troi rownd a sibrwd rhybudd i'r rhai yn y rhes tu ôl iddo fo,

"Ricky Tripp let rip!"

Mae o'n edrych yn falch iawn ohono'i hun pan mae ei fêts o a'r merched wrth ei ymyl o i gyd efo'u jumpers dros eu trwyna. Mi wnaeth Ieu un tro ac roedd pawb yn gwbod achos aeth o'n goch fel tomato a mynd i edrych yn euog ofnadwy. Doedd 'na ddim pwynt iddo fo brotestio a deud,

"Dim fi wnaeth! Dim fi wnaeth!" Roedd pawb yn gwbod yn iawn mai fo ddaru.

Hen foi iawn ydy Ieu ac efo fo dwi'n ista yn Maths. Mae o'n byw ar ffarm ac yn codi'n fore i roi bwyd i'r anifeiliaid cyn dod i'r ysgol. Wedyn mae o'n tynnu ei ofarôls ac mae ei fam o yn mynd â fo yn y car i ddal y bws mini, wedyn mae'r bws mini'n mynd â fo i ddal y bws mawr ac ar hwnnw mae Ieu yn dod i'r ysgol. Tra ydan ni yn cael ffrae adeg cofrestru am wisgo trenyrs yn lle sgidia du ysgol mae Ieu yn cael ffrae am wisgo'i sgidia brown ffarmwr. Yn Maths weithia mae o'n dallt y gwaith ac yn fy helpu i, a thro wedyn, fi sy'n dallt petha ac yn dangos iddo fo sut i gael yr ateb. Mae Mrs Evans Maths wedi sylwi ar hyn hefyd a dyna pam mae hi'n deud fel hyn,

"Byddech chi'ch dou yn gwneud un call rhyngoch chi!"

Mae Mrs Evans yn glên iawn y rhan fwya o'r amser ac yn trio ein cael ni i hoffi Maths drwy ddeud fod "patrymau mathemategol ym mhob man yn y byd o'n cwmpas ni. Yn nhonnau'r môr, ac mewn llanw a thrai ac ym myd natur i gyd."

Un tro mi ddwedodd hi hyn:

"Tro nesa chi ar y traeth, cyfrwch chi'r tonnau ac mi gewch chi weld fod y nawfed ton bob tro yn gryfach na'r lleill."

Ac wir i chi, pan es i a Mam am dro ar y traeth 'chydig wedyn mi wnes i sefyll yna a sbio ar y môr ac aros i don fawr ddod a chyfri wedyn ... un ... dau ... tri ... pedwar ... pump ... chwech ... saith ... wyth ... NAW ... a dwi'n siŵr fod Mrs Evans yn iawn hefyd.

Pan mae hi'n flin iawn mae'r dosbarth i gyd yn mynd yn ddistaw bach a 'dan ni'n gwbod be sy'n dod nesa. Y frawddeg yna rydan ni i gyd yn casáu ei chlywed hi:

"Ma 'da fi ferch naw oed gartre sy'n galler gwneud y

gwaith hyn. Siapwch hi!"

Mae'r frawddeg yna'n brifo, er nad oes neb yn deud dim byd. A dwi jyst yn meddwl bod y 'ferch naw oed gartre' yn lwcus fod ganddi fam sy'n athrawes Maths i'w helpu hi. Neu falle bod hi'n anlwcus yn gorfod gwneud gwaith Maths ysgol uwchradd bob nos a hitha dal yn yr ysgol gynradd!

Addysg Gorfforol rydan ni'n ei gael wedyn ar fore Llun, sydd yn iawn achos ei bod hi'n amser egwyl wedyn a ninna'n agos at y cantîn i nôl bwyd cyn pawb arall os ydan ni'n newid yn sydyn. Dydan ni byth yn gwbod be fyddan ni'n ei wneud yn y gwersi Addysg Gorfforol. Chwara pêl-droed pump bob ochr tu mewn ydy fy hoff beth i, ac weithia mae'r merched yn aros efo ni ac mae'r timau yn gymysg wedyn. Mae hynna'n hwyl am lawer o resyma. Rygbi yn y mwd ar y cae. Traws gwlad drwy'r goedwig. Badminton. Mae rhwbath yn well na'r *bleep* test 'na. Ugain metr rhwng y ddwy wal a'r *bleeps* 'na yn cyflymu'n raddol wrth i chi redeg. Dyna oedd o'n blaena ni y bore hwnnw. Mi chwydodd Dyl ar ôl gwneud y *bleep* test. Roedd o wedi ymlâdd. A be ddwedodd Mr Griffiths oedd hyn:

"Da iawn ti, Dylan. Mi wnest ti dy orau glas yn fan'na."

Iesgob! Roedd Dyl yn swp sâl ac yn chwydu. Roedd ei gorff o'n hercian i gyd a'i fol o'n brifo. Ond roedd o wedi dod ato'i hun yn iawn 'chydig bach wedyn ac yn canmol ei hun am ddod yn ail. Kev Gerbil oedd wedi ennill. Fo sy'n ennill o hyd efo rhedeg. Mae o'n gallu mynd a mynd am byth. Trenyrs Reebok sy ganddo fo.

Achos 'mod i wedi aros ar ôl efo Dyl i watsiad ar ei ôl

o a fynta'n gwneud sŵn chwydu mawr ond dim byd ond poer yn dod o'i geg o, roedd pawb arall 'di mynd am y cantîn o'n blaena ni. Mi sychodd ei geg a dyma ni'n cerdded i fyny'r grisia i swyddfa Mr Griffiths PE sydd wrth ymyl lle newid y merched i ddeud fod Dyl yn dal yn fyw. Papura ar hyd y ddesg, gwaywffyn yn y gornel, ambell i chwiban a bwndel mawr o glipboards. Roedd y peiriant golchi'n mynd fel dwn i'm be yn llawn o ddillad rhyw dîm pêl-droed neu hoci neu rwbath, ac ogla powdwr golchi yn trio cuddio ogla hen sgidia rhedeg. Doedd Syr na Miss ddim yna, ac ro'n ni'n cymryd ein hamsar yn busnesu ar hen lunia pobl ar y wal oedd wedi ennill medala dros y blynyddoedd.

Dyl aeth allan o'r swyddfa gynta a dyma fo'n sbio fyny a jyst pwyntio at y nenfwd.

"Sbia," medda fo.

"Be?" medda fi, yn methu gweld dim byd heblaw twll yn y to a chaead drosto, fel sydd yna i fynd i fyny i'r atic adra yn tŷ ni.

"Lle i fynd fyny i'r atic 'di hwnna," medda Dyl. "A sbia, 'sa ni'n medru rhoi'n traed ar y radiator 'ma, sefyll a gwthio'r caead o'r ffordd a thynnu'n hunain i fyny i'r to," medda fo wedyn.

"I be ddiaw—?" dechreuais i.

"Be sy'n fan'na?" gofynnodd o, gan bwyntio at ddrws stafell newid y merched lawr y coridor bach.

"Lle newid y merched," medda fi.

"Yn union!" medda Dyl. "'Sa ni'n dringo fyny i'r to ffordd hyn mi allen ni fynd ar hyd y distia, a gwrando arnyn nhw'n siarad a clywed be ma nhw'n ddeud amdanon ni a ballu."

"Ti'n gall? Dwi ddim yn mynd yn agos i fyny fan'na. Dim ffiars o beryg!"

"Mi gei di aros fan hyn 'ta, ar lwcowt i ddeud wrtha i os oes 'na rywun yn dod. Iawn?"

"Be ... rŵan, 'lly?"

"Naci siŵr! Pan 'dan ni efo Addysg Gorfforol. Pan gawn ni gyfla rywdro, heb gael ein dal."

Roedd Dyl yn cael syniadau drwg fel hyn weithia. Doedd o ddim yn cael ei ddal yn aml iawn felly roedd o'n cael mwy ohonyn nhw o hyd. Ond hwn oedd y syniad gwaetha roedd o 'di gael. Os basa fo ... wel ... ni ... yn cael ein dal mi fasan ni mewn trwbwl go iawn. Sut fasan ni'n egluro ein bod ni fyny yn nho'r adran chwaraeon? Be fasan ni'n ddeud? Ein bod ni wedi colli cas pensilia yna? Go brin! Ar un llaw, mi fasa gwrando ar Lowri a Kate yn sgwrsio yn hwyl go iawn, ond ar y llaw arall, meddyliwch y cywilydd 'sa ni'n deimlo 'sa ni'n cael ein dal.

"Be ti'n feddwl, yr hen fêt?" medda Dyl yn wên o glust i glust. Mae o yn fy ngalw i'n 'hen fêt' pan mae o isio rhwbath. Dyna mae ei dad o'n ddeud hefyd. Cau fy llygaid wnes i i ddangos 'mod i wedi clywed digon am y cynllun gwallgof yma. Ac wrth sefyll yng nghefn y ciw yn y cantîn nes 'mlaen dychmygais Dyl a finna fyny yn yr atig a finna'n rhoi fy nhroed drwy'r to fel wnaeth Dad un tro wrth nôl y goeden Dolig a'r addurniadau o'r atig. Dyna'r unig dro y clywais i Dad yn rhegi go iawn. Ro'n i isio chwerthin achos fod yna blastar a stwff insiwleiddio yn disgyn ar dop y landing a throed Dad yn sticio lawr drwy'r to. Roedd ei sanau Umbro du o yn llwch gwyn i gyd.

Mae bob dydd Llun yn mynd reit sydyn wedyn. Dwbwl Cymraeg, cinio a Celf drwy pnawn lle dwi'n ista efo Max. Mae o'n lwcus iawn gan ei fod o'n dda iawn am beintio a thynnu llun. Mae pob dim mae o'n wneud yn edrych yn iawn y tro cynta. Dydy o byth yn gorfod rhwbio dim byd allan.

Mi faswn i wrth fy modd taswn i'n gallu tynnu llun yn dda fel fo. Mae o'n mynd rownd y dosbarth yn helpu pobl efo darna anodd fel coesa ryw geffyl a phen aderyn a phetha fel 'na. A dwi 'di sylwi hefyd ei fod o'n edrych yn ofalus ac yn canolbwyntio'n llwyr ar be mae o'n ei wneud. Dim ond yn y gwersi Celf dydy o ddim yn siarad llawer am bêl-droed. Dim ond y tîm sydd ar ei feddwl o ym mhob gwers arall!

Sgidia pêl-droed Puma sydd gan Max a dyna sut rai mae o wedi gael ers blynyddoedd, medda fo. Fasa ei dad o ddim yn prynu sgidia eraill iddo fo. Dyna sut rai roedd ei dad o'n wisgo i chwara i dîm yr ysgol ac i dîm y dre erstalwm. Un tro, roedd ei dad o wedi dangos iddo fo hen glips o'i hoff chwaraewr ar YouTube yn sgorio bob math o goliau gwych, a gesiwch pa sgidia roedd o'n gwisgo? Ia, dach chi'n iawn. Diego Maradona oedd enw'r chwaraewr. Dyna be oedd enw bwji Max hefyd.

4. Gorwedd ar y gwely efo Cynffon

Dwi jyst â llwgu ar ôl ysgol bob nos, a dwi a Lisa am y cynta i wneud tost a menyn ac i fwyta beth bynnag sydd ar ôl yn y cwpwrdd sothach a bisgedi. Handlen y cwpwrdd hwnnw ydy'r unig un sydd wedi torri ac mae angen ei thrwsio hi. Mae Lisa'n diflannu i'w llofft wedyn. Dw inna'n ei dilyn hi fyny'r grisia, gwydryn o lefrith yn fy llaw ac yn taflu fy hun ar y gwely – ar ôl rhoi'r llefrith ar dop y ddesg, siŵr iawn!

Fi sydd efo'r llofft leia yn y tŷ ond dwi'n meddwl mai fi sydd efo'r un ora mewn ffordd. Mae'r walia i gyd heblaw un yn blastar o bosteri a llunia ... trenyrs. Be dwi'n wneud ydy sgwennu ambell i e-bost a llythyrau clên i swyddfeydd rhai o'r cwmnïau mawr 'ma yn gofyn plis ga i bosteri neu rwbath sydd i'w gael yn rhad ac am ddim. Ma nhw'n anfon catalogs yn ôl a llyfrynnau lliwgar, ac un tro gesh i feiro Adidas. Beiro ddu ac aur oedd hi, y feiro orau i mi gael erioed. Do'n i ddim yn ei defnyddio hi rhag ofn i'r inc sychu, dim ond ei gosod hi fel beiro sbâr ar y ddesg yn yr ysgol.

Ges i siom ofnadwy pan aeth fy meiro i ar goll. Deud y gwir, mae'n rhaid bod rhywun wedi'i dwyn hi ond

wnes i ddim deud wrth yr athrawon. Mae yna betha
wedi bod yn diflannu yn ein dosbarth ni ers tipyn rŵan
a neb yn gwbod dim amdanyn nhw wedyn. Modrwy
Pandora un o'r merched. Pen inc drud oedd Daniel 'di
gael ar ei ben-blwydd gan ei nain. Petha clustia Ruth
oedd wedi costio lot o bres. Bag colur un o'r athrawon.
Roedd y rhieni wedi cwyno, yr athrawon wedi siarad efo
ni gyd, ond ddaeth dim byd i'r fei.

PING

Pwy sy 'na rŵan 'to? Lowri. Wehê! Lowri. Neges i fi a
dim ond i fi am unwaith. At grŵp mawr mae hi'n
anfon fel arfer.

Be ti'n neud?

Be alla i ddeud sy'n swnio'n cŵl?

Dim byd llawer. Ti?

Iawn. Dwi'n gwbod bod hynna ddim yn cŵl iawn.

Gorwedd ar y gwely efo Cynffon.
Be ti'n neud heno?
Hanes. Ti 'di neud o?
Y daflen na ar y Natsïaid? Naddo.

Roeddwn wedi'i wneud o ond am ryw reswm wnes i
ddeud wrthi 'mod i heb.

Pryd ti am ei wneud o?
Heno.
Wnei di anfon llun ohono fo i fi plis?

O'n i isio deud 'gwna fo dy hun' ond Lowri oedd hi. Lowri

o'n i'n ffansïo yn ddistaw bach ers dwn i'm pryd a'r hogia yn tynnu fy nghoes i. Lowri ... Gwên ddel. Llygaid bywiog. Gwallt hir gola. Trenyrs Nike Air Max coch.

Iawn siŵr. Gei di o nes ymlaen, ar ôl fi orffen o.

Mi es i'n syth i 'mag a thynnu'n llyfr Hanes ohono fo. Agor y dudalen iawn a thynnu llun y daflen waith yn sydyn. Mi wnes i ei anfon o 'nôl i Lowri 'chydig bach yn rhy sydyn. Dylwn i fod wedi dal yn ôl tipyn bach, achos be ddwedodd hi oedd:

Mam bach! Ti'n gwneud gwaith yn sydyn. Diolch x.

Hei! Sws! Roedd hi wedi rhoi sws ar ddiwedd y neges.

Croeso. Gweld ti fory.

Mi fues i'n meddwl am rwbath arall i ddeud wrthi wedyn ond do'n i ddim yn gallu meddwl am ddim byd oedd yn swnio'n iawn. Mi wnes i ddechra sgwennu rhwbath dair neu bedair gwaith ond eu dileu nhw bob tro. Mi wnes i anfon dau lun doniol o anifeiliaid yn gwneud petha twp achos dwi'n gwbod bod Lowri'n hoffi anifeiliaid. Ges i fawd ar i fyny yn ôl ddwywaith ganddi hi, a llun wedyn o'i gwaith Hanes hi gyda *Diolch eto* a sws arall.

Ro'n i'n teimlo'n rêl boi bore drannoeth yn 'rysgol ac yn trio cerdded yn dalach pan oedd Lowri wrth law. Hi ddechreuodd siarad efo fi. Roedd hi'n dal ei phen i fyny yn hyderus ond yn gwthio ei gwallt gola y tu ôl i'w chlustia bob munud.

"Diolch i ti am hwnna neithiwr."

"Iawn, siŵr. Gei di helpu fi tro nesa."

"Iawn. Mi wna i."

"Dyma ti."

A dyma hi'n mynd i'w bag a rhoi siocled i mi. Roedd o 'di torri yn ei hanner ond roedd o'n dal yn y papur.

"Diolch," medda fi a gwenu a cherdded o'r lle cofrestru i rwla arall achos do'n i ddim yn gwbod be arall i'w ddeud a jyst isio gweiddi,

"Lowri, dwi'n dy garu di!"

Ar ôl gwneud yn siŵr fod yna neb 'di clywed y geiria yna oedd yn fy mhen i, mi stwffiais hanner y siocled i 'ngheg cyn y wers gynta yn lle ei gadw fo i gyd tan amser egwyl. Dyna'r siocled gora erioed.

Roedd Dyl yn llawn syniada unwaith eto amser cinio. Roedd hynny'n golygu ein bod ni am fynd i helynt neu ein bod ni am gael tipyn o hwyl. Yr ail, gobeithio. Doedd o ddim yn hapus iawn peth cynta yn y bore, ond erbyn hyn roedd o'n iawn. Roedd o a Ieu a finna yn cerdded rownd yr ysgol achos doedd gynnon ni ddim pêl a do'n ni ddim i fod i ddwyn pêl Blwyddyn 7.

"Ti'n gwbod bod fy mhen-blwydd i cyn bo hir, dwyt?"

"Yndw Dyl ... a ti'n gofyn am y Nike Air Turbo Pegasus du a melyn 'na."

"Dyna o'n i'n gobeithio'i gael ond ma Mam 'di deud eu bod nhw'n rhy ddrud rŵan."

"Be am i ti gynnig talu am eu hanner nhw?"

"Sgin i'm pres, nagoes."

"Pres pen-blwydd?"

"Na, dim llawer."

Ar ôl bod yn ddistaw mi ddwedodd Ieu,

"Ffendia job fel sy gen i. Os basat ti'n gweithio am dy bres, fasat ti ddim isio ei wario ar ryw sgidia rhedeg gwirion."

"Ti'n lwcus fod y sied wyau 'na wrth ymyl lle ti'n byw. Ydy o'n drewi?"

"'Chydig bach i ddechra ond wedyn ti'n arfer."

"Faint ti'n gael bob awr?"

"Tair punt a naw deg ceiniog."

"Hynna'n reit dda," medda fi. "Rhwbath tebyg ma Lisa'n gael yn y caffi ac ma hi'n gorfod golchi llestri a phlicio tatws a phetha felly o hyd."

"Dyna be ti'n 'i wneud os ti'n gweithio mewn caffi, ynde'r clown!" medda Dyl.

"Fasa'n well gen i gasglu wyau fel Ieu."

"Mae'n anodd hel pres pan dach chi'n gorfod dod i'r ysgol bob dydd. Erstalwm ro'n nhw'n cael gadael ysgol yn un deg pedwar oed. Braf 'de!"

Nodiodd Dyl a finna i gytuno ac roedd pawb yn ddistaw am dipyn wedyn. Roedd hi'n anodd iawn hel pres. Ro'n i'n cael pum punt o bres poced bob pythefnos ac roedd Mam yn talu am y ffôn hefyd, yn doedd. Ro'n i'n cael 'chydig o bres bob hyn a hyn i fynd i rwla hefyd, felly doedd casglu arian ddim yn hawdd os nad oedd gynnoch chi job. Roedd Lisa efo mwy o bres na fi o lawer. Faint oedd gen i yn y drôr gwaelod ers mis neu ddau? Pymtheg punt a chwe deg ceiniog. Digon i brynu fflip fflops ond dim pâr o ZXs.

Wrth y cyrtiau tennis ro'n ni a, mwya sydyn mi stopiodd Dyl gerdded a sefyll yn stond.

"Mae gen i syniad am sut i wneud pres," medda fo, "ac os ydan ni am wneud hyn, bydd rhaid i ni ei wneud o tymor yma. Fedrwn ni ddim tymor nesa."

"Sut?" medda Ieu a finna efo'n gilydd. Doedd gynnon ni ddim clem beth oedd ar feddwl Dyl. Doedd o'n gwneud dim synnwyr o gwbl.

"Wel," medda Dyl, a'i ddwylo fo'n symud fel roedd o'n siarad. "Meddyliwch chi rŵan, pa bres ydan ni'n gael bob dydd?"

"Yr un geiniog," medda Dyl. "Diwedd bob mis dwi'n cael fy nhalu yn y lle wyau."

"Pres bob pythefnos dwi'n gael gan Mam," medda finna.

"Bois bach, o'n i'n gwbod bo' chi'n hyll, ond do'n i ddim yn gwbod bo' chi'n hollol dwp hefyd. Meddyliwch! Pa bres ydach chi'n gael bob dydd?"

Edrychodd Ieu a finna ar ein gilydd wedi drysu 'chydig bach ac roedd Dyl yn dal i aros am ateb. Pres cinio oedd yr unig beth o'n i'n gallu meddwl amdano fo.

"Pres cinio?" medda fi.

"Jiniys! Athrylith!" medda fo yn llais crand Miss Elias, Cymraeg.

"Ma pres cinio i brynu cinio!" medda Ieu, yn meddwl am ei fol.

"Ydy, iawn," medda Dyl. "Ond dyna'n incwm cyson ni, 'de."

"Incwm cyson! Be wyt ti rŵan, rheolwr banc?" medda Ieu. "Mae'n rhaid imi gael cinio. Faswn i bron â llwgu os faswn i'n mynd heb ginio."

"Ond mi fasat ti'n cael cinio," medda Dyl, "paid â phoeni! Ti fasa'n gwneud dy ginio dy hun noson cynt."

"Be?" medda fi. "Gwneud brechdan slei i ni'n hunain bob nos erbyn diwrnod wedyn, a pheidio prynu cinio efo'r pres cinio?"

"Yn union!" medda Dyl. "Erbyn diwedd y tymor mi fasa gynnon ni ddigon o bres i brynu pâr o ZXs bob un!"

"Pegasus wyt ti isio 'de?"

"Ia! Wel, be dach chi'n feddwl?"

Twyllo Mam a Dad oedd hyn. Ond wedyn, be oedd darn o fara jam ac afal ychwanegol? Doedd o ddim llawer o ddim byd, nagoedd? Ro'n i'n licio'r syniad er mai Dyl oedd wedi'i gael o. Ond 'sa raid imi wneud yn siŵr 'mod i ddim yn cael fy nal. Fasa Dad ddim yn hapus.

"Cinio ysgol bob dydd i fi," medda Ieu. "Dwi'n tyfu a dwi ddim isio byw ar ryw friwsion a hanner banana i ginio bob dydd. Tatws a grefi i fi. Newydd gael sgidia rhedeg newydd ydw i, p'un bynnag."

"Be am i ti hel pres i gael picwarch neu rwbath newydd 'ta?" medda Dyl.

"Be ti'n wbod am bicwarch? 'Sa ti ddim yn gwbod pa ben i afael ynddo fo."

"Be am CB newydd i fynd i hela llwynog 'ta? Cchchchchch ... Ieu hotshot yma ... ma'r llwynog yn rhedeg ar draws y cae ond dwi ddim am ei saethu fo achos ma ganddo fo *machine gun* ac mi fydd o'n saethu 'nôl ata i ... *Over and out* ... Cchchchchchchch ..."

Gafaelodd Ieu ym mys Dyl a'i blygu fo 'nôl nes roedd Dyl yn gwingo ac yn deud,

"Sori! Jôc! Sori!" ac yn chwerthin yr un pryd oedd yn gwneud i Ieu droi ei fys o'n waeth byth.

"Pam bod rhaid gwneud tymor yma 'ta?" gofynnais inna.

"System newydd sy'n dod i'r cantîn, ynde. Dach chi'n cofio ni'n gorfod mynd i gofrestru ar y system a rhoi ôl bys ar y peth hwnnw? Ma yna system dim cash yn dod, yn does? Bydd rhieni pawb yn rhoi pres yn eu cyfrif nhw ar-lein a fyddwn ni ddim yn cael pres cinio yn ein llaw wedyn."

Ro'n i'n cofio am hynny ar ôl i Dyl ddeud. Roedd yna bosteri newydd yn y cantîn ac roedd yna e-bost 'di mynd adra at rieni pawb.

"Reit, well ni gychwyn arni fory," medda fi wrth Dyl. "I ni gael hynny allwn ni o bres cyn i'r system newydd 'ma gyrraedd."

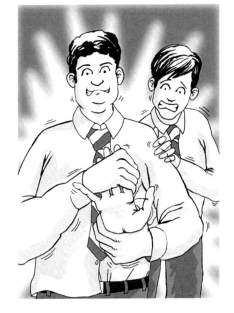

"Amdani!" oedd ateb Dyl, yn rhwbio ei fys. "'Dan ni am fod yn gyfoethog."

Canodd y gloch ac mi gerddon ni i mewn i gofrestru.

Roedd gwên go iawn ar wynebau Dyl a finna, a rhyw wên gam ar wyneb Ieu.

5. Ricky Tripp yn hogyn da

Bore dydd Iau'r wythnos honno cafodd pawb fraw wrth gerdded i mewn i'r ysgol. Roedd yna gar heddlu wedi parcio o flaen y swyddfa a chlamp o gi Alsatian mawr fel blaidd yn y cefn. Ro'n i'n meddwl i ddechra fod CID wedi clywed fy mod i a Dyl yn dwyn bara menyn yn slei yn hwyr yn y nos ac yn ei roi o yn ein bagia ysgol at y diwrnod wedyn. Dwi'n cael ryw syniada gwirion fel yna weithia. Tybad ai dyna beth ydy paranoia? Beth bynnag i chi, roedd yr athrawon ar y coridora peth cynta yn y bore efo'u mygiau jôcs gwirion yn llawn te neu goffi'n stemio.

"Pawb i'r neuadd!" meddan nhw. "Dim angen cofrestru ... ia ... bagia a chotia efo chi."

Syth i'r neuadd heb gofrestru? Do'n i ddim yn cofio dim byd fel hyn yn digwydd o'r blaen. Dim ond pan ma yna arholiada rydan ni'n mynd yn syth i'r neuadd ac yn cael ein cofrestru yn fan'no. Pan gerddon ni i mewn roedd y prifathro yn sefyll wrth y drws, ei sbectol o ar ei dalcen o fel arfer, fel tasa fo'n gweld drwy ei dalcen! Roedd o'n hel pawb i mewn yn reit sydyn i ista yn eu rhes heb lawer o ffŷs. Ond yn ista yn y ffrynt roedd yna blisman a phlismones yn gwisgo eu capia fflat du ac ymyl gwyn iddyn nhw ac yn syllu arnon ni'n ddiemosiwn. Ar ôl i bawb setlo yn gynt nag arfer aeth y prifathro yn ei flaen, tynnu ei sbectol ar ei drwyn ac wedyn ei chodi 'nôl eto yn sydyn ar ei dalcen.

"Fel arfer rydw i'n dweud 'Bore da' wrthoch chi i gyd ond bore heddiw dydw i ddim yn teimlo fel dweud 'Bore da'. Mi fasa heddiw yn gallu bod yn fore llawer iawn gwell nag ydy o. Pam, meddech chi? Wel, mi ddweda i wrthoch chi. Mae yna rywun yn dwyn eiddo pobl eraill yn yr ysgol 'ma. Mae yna lawer o betha wedi diflannu ..."

Aeth o yn ei flaen i sôn am y petha ro'n i'n gwbod amdanyn nhw fel y fodrwy, y clustdlysau, y petha clustia drud ac wedyn mi aeth o i sôn am fwy o betha. Cotia, bagia, sgidia, ffitbit a ffôn. Roedd y rhestr yn un hir.

"Dwi'n gwbod nad ydach chi'n hapus efo'r hyn sy'n digwydd yma. Dwi'n gwbod fod eich rhieni chi ddim yn hapus ac mi ddweda i un peth wrthoch chi, dydw i na'r athrawon ddim yn hapus am y peth o gwbl chwaith. Mae'n rhaid i'r peth ddod i ben. Mae yna rywun yma yn siomi ei hunan, yn siomi ei deulu, ac yn siomi ei ffrindia hefyd."

Mi steddodd Mr Protheroe a rhoi arwydd i'r ddau blisman godi. Y ddynes plisman wnaeth ddechra siarad efo wyneb difrifol ofnadwy, yn deud nad oedd hi wedi cael ei galw i'r ysgol ers blynyddoedd, a'i bod hi wedi cael ei siomi'n ofnadwy, ac os oedd gan rywun unrhyw wybodaeth, iddyn nhw ddeud wrth un o'r athrawon yn ddistaw bach. Y dewis arall oedd sgwennu nodyn a'i roi yn y bocs sylwadau yn y dderbynfa.

Wedyn, mi wnaeth y plismon sefyll a deud y bydd gan

Mr Protheroe hawl i fynd drwy fagia unrhyw un ohonon ni i drio dod o hyd i bwy bynnag oedd yn dwyn petha. Mi soniodd o wedyn am y ci fasa'n gallu arogli petha hefyd a'u helpu nhw i ffendio petha'n sydyn iawn mewn bagia. Do'n i ddim yn dallt yn iawn sut oedd hynny yn gweithio ond dyna ddwedodd y plisman.

"A ddygo wy, a ddygo fwy," medda Mr Protheroe i orffen cyn egluro be ddwedodd o. Be ma'n feddwl ydy bod rhywun sy'n dwyn un peth bach yn mynd i ddwyn mwy a mwy o betha wedyn. Mi ddwedodd o hefyd fod pobl erstalwm 'di cael eu halltudio i Awstralia am ddwyn wy neu iâr neu ddafad. Adeg hynny, doedd Awstralia ddim yn lle neis iawn.

Wnaeth Ricky Tripp ddim gollwng gwynt y bore hwnnw, diolch byth, ac mi gerddodd pawb o'r neuadd yn reit ddistaw, pawb yn edrych yn euog fel mai nhw oedd wedi bod yn dwyn. Ond ro'n ni wedi cael y neges yn glir. Tybad a oedd y lleidr, pwy bynnag oedd o neu hi, wedi cael y neges? Dyna oedd y cwestiwn. Ro'n i wir yn gobeithio hynny achos dydy cael yr heddlu yn yr ysgol ddim yn beth braf.

Doi MYND i DDARLLEN
PENNOD 6 tudalen 36, 38

6. Pâr o sgidia rhedeg i Jesse Owens

Ro'n i wedi cael y wers Hanes ora erioed. Mi wnes i hanes yn y wers Hanes! Do'n i ddim yn cofio y tro dwetha imi ateb gymaint o gwestiynau mewn gwers ac roedd Miss wrth ei bodd efo fi. "Da iawn ti," medda hi'n dawel wrth i mi adael y stafell. Gwers oedd hi am Gemau Olympaidd 1936 yn Berlin. Dyna'r flwyddyn roedd Adolf Hitler isio dangos i bawb mai fo oedd y bos ac mai'r hil Ariaidd oedd yr hil ora am wneud bob dim.

Ond daeth dyn du o America o'r enw Jesse Owens i ddifetha'r parti. Mi enillodd o bedair medal aur yn y gemau a thorri record byd y ras can metr. Mi redodd o gan metr mewn 10.3 eiliad. Roedd yr Almaenwr roedd Hitler isio fo ennill yn bumed, a'i amser o oedd 10.7 eiliad. Erich Borchmeyer oedd ei enw fo. Tybad be ddigwyddodd iddo fo wedyn? Jesse Owens wnaeth ennill y ras dau gan metr a thorri record y byd yn honno hefyd. Enillodd o gystadleuaeth y naid hir a rhwbath arall hefyd dwi ddim yn gofio rŵan.

Pan ddechreuodd Miss siarad am Jesse Owens mi wnes i roi fy llaw i fyny yn syth bin bron. Ro'n i yn gwbod am Adolf arall heblaw am Adolf Hitler a oedd yn byw yn yr Almaen adeg hynny. Adolf Dassler oedd ei enw fo ac roedd o'n byw mewn tre fach o'r enw Herzogenaurach. Crydd oedd o, sef dyn gwneud sgidia, ac roedd o'n creu sgidia rhedeg ac yn eu trio nhw ei hun i weld a oeddan nhw'n gyfforddus ac yn gweithio'n iawn.

Yn ôl yr hanes, mi wnaeth Adolf Dassler roi pâr o sgidia rhedeg yn rhad ac am ddim i Jesse Owens. Mi wnaeth Miss ddangos clipia du a gwyn o'r rasys ac o Hitler yn gwylio ac yn edrych yn flin. Roedd coesa a thraed Jesse Owens yn symud yn rhy sydyn imi gael gweld sut sgidia oedd ganddo fo. Ro'n i methu'n lân â'u gweld yn iawn.

Beth bynnag, yn debyg i ni'n galw Dylan yn Dyl, a Ieuan yn Ieu, roedd ffrindia Adolf Dassler yn ei alw fo'n 'Adi'. A be oedd ei gyfenw o? Dassler, yn de. Felly, os gwasgwch chi'r ddau air yna at ei gilydd mi gewch chi 'AdiDass' ac mi wnaeth hwnnw droi wedyn yn Adidas sydd erbyn hyn yn gwmni enfawr dros y byd i gyd. Gan nad oeddan nhw'n poeni am briflythrennau, adidas ydy'r ffordd mae o yn cael ei sgwennu gan bawb rŵan. Dyna be ro'n i wedi bod yn ddeud wrth y dosbarth i gyd, cyn mynd yn fy mlaen.

"Mae 'na rai," medda fi wrth Miss, "yn meddwl mai rhwbath arall ydy adidas."

"Beth felly. Ydy e'n weddus?"

"Ydy, ond Saesneg ydy o."

"Beth 'te?"

"All day I dream about sports."

"O! Wela i," medda Miss. "Diddorol iawn iawn." Ac

roedd hi'n deud hynny fel ei bod hi'n ei feddwl o. Mi ddangosodd Haydn ei fag adidas i bawb a thynnodd Mikaela ei threnyrs Originals Continental 80 gwyn o'i bag a'u dal nhw uwch ei phen. Ond gallwn weld Cerys Anna yn dechra mynd yn anniddig ar flaen ei sedd isio i ni stopio siarad am fagia a threnyrs a mynd yn ôl i ddysgu am ddatblygiad y blaid Natsïaidd. A dyna wnaeth Miss wedyn – dangos enghreifftiau o bropaganda i ni.

Deud y gwir, roedd o'n ddiddorol ond roedd gen i fwy o betha i'w deud am adidas. Roedd gan Adi Dassler frawd o'r enw Rudi ac roedd o yn gwneud sgidia chwaraeon hefyd. Ro'n nhw'n ffrindia mawr i ddechra a'r ddau yn gweithio efo'i gilydd. Ond, fe ffraeon nhw ac fe aeth y brawd ei ffordd ei hun. A dach chi'n gwbod be wnaeth o ar ôl yr Ail Ryfel Byd? Cario 'mlaen i wneud sgidia a phetha chwaraeon a galw ei gwmni fo yn Puma. Doedd y ddau frawd ddim yn siarad efo'i gilydd ac roedd ganddyn nhw ffatri bob un yn yr un dre yn yr Almaen. Doedd y gweithwyr ddim yn gwneud dim byd efo'i gilydd chwaith ond daethon nhw'n ffrindia ar ôl iddyn nhw chwara gêm bêl-droed yn erbyn ei gilydd ryw dro.

Oes yna ffasiwn beth â *geek* trenyrs, tybad? Os oes, dyna ydw i, mae'n siŵr!

Trenyrs oedd ar fy meddwl i'r noson honno wrth y bwrdd bwyd. Moussaka oedd Mam 'di gwneud ac roedd o'n neis iawn hefyd. Roedd Lisa yn pigo ac yn troi ei llwy rownd a rownd ond roedd Dad yn canmol ac roedd 'na hwylia da arno fo.

"Ma hwn yn sbesial, Linda," medda fo. Roedd Dad

mewn hwylia da.

'Dyma 'nghyfla i,' medda fi wrtha i fy hun. Mi sonia i am y ZXs.

"Lle oeddat ti heddiw, Dad?"

"Awel y Mynydd heddiw, Awel y Môr fory. Mi aeth 'na aderyn i'r llafnau bore ma, mi aeth o rownd a rownd unwaith neu ddwy ond llwyddo i ddod allan a fflio i ffwrdd."

"Ga i ddod efo chdi eto i weld sawl tyrbin sy fyny yna rŵan? Ma tad Ieu yn deud ei fod o isio rhai fyny ar y ffarm hefyd. Basa Ieu yn hoffi dod efo ni."

"Iawn," medda Dad. "Gewch chi'ch dau ddod efo fi yn y gwylia Pasg."

"Dwi'n gobeithio cael trenyrs newydd yn y gwylia Pasg," medda fi'n ddigon didaro.

"Pâr arall eto? Faint o rai sydd efo ti, dwed?" medda Dad wrth fwyta.

"Dim ond y Gazells 'na a'r hen hen rai gwyn 'na sydd yn rhy fach rŵan."

"Mae'n siŵr ei bod hi'n amser i'r hogyn gael rhai newydd," medda Mam. Diolch, Mam! Dwi'n dy garu di! Mi wna i glirio'r llestri a sychu'r bwrdd. A gwneud panad!

Mi ddechreuodd Lisa agor ei hen geg wedyn a deud yn union be do'n i ddim isio iddi ddeud. Ma ganddi ryw ddawn anhygoel i wneud hynny.

"Dwi'n gwbod pa rai mae o isio. Y ZXs 'na. Ma nhw dros gan punt!"

"Can punt?" medda Dad a sbio'n syn arna i.

"Ia. Ond ma nhw'n rhai da ofnadwy."

"Dylai eu bod nhw am hynna hefyd. Mi ddeuda i be.

Pan gei di le yn y tîm pêl-droed neu yn y tîm rygbi, neu gael dy ddewis i redeg traws gwlad i'r ysgol, mi gei di rai. Tan hynny, dydw i ddim isio clywed dim mwy amdanyn nhw, iawn?"

"Aww!" medda Lisa.

Mi wnes i orffen fy mhlatiad a mynd am fy llofft cyn cael pwdin. Do'n i ddim wedi meddwl y basa Dad yn ymateb yn flin fel yna. Roedd o'n gwbod yn iawn nad oedd gen i lawer o obaith mynd i'r tîm rygbi, a phan oeddwn i yn y tîm pêl-droed, eilydd oeddwn i. Y tîm traws gwlad oedd y bet ora ond dim ond dros y gaeaf rydan ni'n rhedeg traws gwlad. Mi fasa'n rhaid imi ymarfer yn galed i fod yn y tîm. Codi'n gynnar a mynd i redeg cyn brecwast ac ati. Dim diolch yn fawr. Pam fod petha mor annheg? Dim ond pâr o sgidia oeddwn i isio.

A finna'n fy llofft yn teimlo'n ddigon digalon mi wnaeth yna ddau beth ddigwydd i godi 'nghalon i. Y peth cynta oedd bod Mam 'di dod â phwdin i fi, a'r ail beth oedd bod Lowri wedi gwneud galwad fideo i fi. Lowri? O na, oedd fy ngwallt i'n edrych yn iawn? Wnes i ddim ateb y tro cynta. Wedyn ro'n i'n gweddïo ei bod hi am ffonio eto. Gwirion 'de, ond ro'n i isio 'chydig o amser i newid fy wyneb pwdlyd yn ôl yn wyneb hapus. Mi wnaeth hi alw eto! Daeth ei hwyneb del hi i lenwi'r sgrin. Doedd hi ddim yn hawdd siarad efo llond ceg o gwstard a sbwnj ond roedd Lowri'n chwerthin ar fy mhen i yn trio deud rhwbath call wrthi. Mi wnes i or-wneud petha wedyn am hwyl a rhoi'r sbwnj i gyd yn fy ngheg a llyfu'r bowlen a'i rhoi hi ar fy mhen fel het. Mi wnes inna ddechra chwerthin hefyd ac fe wnaethon ni chwerthin mwy na siarad.

Diwrnod wedyn yn yr ysgol roedd Lowri fel ei bod hi dal yn chwerthin am y peth ac yn fy nynwared yn trio siarad efo llond ceg o gwstard. Roedd Siân ei ffrind hi yn edrych yn rhyfedd iawn a ddim yn dallt y jôc. Ond ro'n i'n chwerthin hefyd ac roedd hi'n braf ein bod ni'n dau yn gwbod rhwbath nad oedd neb arall yn gwbod dim byd amdano. Neb ond Lowri a finna.

7. Weithia, mae'n rhaid diodda

"Wel," medda fi wrth Dyl, tra o'n ni'n byta ein brechdana jam slei un amser cinio, "dwi'n meddwl fod yr amser wedi dod."

"Ond dwyt ti ddim 'di hel digon o bres eto, siŵr," medda fo.

"Dwi'n gwbod hynny. Ryw dri deg punt sy gen i. Dim am drenyrs dwi'n sôn rŵan," medda fi.

"Amser wedi dod i be, felly?"

"I ofyn i Lowri fynd allan efo fi."

"Waw! O'r diwedd! Sut ti am wneud? Ar y ffôn neu gerdded ati a gofyn iddi hi go iawn?"

"Dwi isio gwneud, ond dwi wir ddim yn gwbod os alla i, 'sdi."

"Ti isio fi wneud drosta ti 'ta?" gofynnodd Dyl.

"Nac oes!" medda fi'n hollol bendant. "Paid â meiddio. Mi ladda i di."

"Ocê, ocê," medda Dyl. "'Sdim angen cynhyrfu, nagoes! Dydy cynhyrfu ddim yn gwneud lles i dy galon di."

"Helpa fi 'te, yn lle malu awyr."

"Wel jyst gofynna iddi 'de? 'Wnei di fynd allan efo fi, Lowri?'"

"Wyt ti fod i fynd lawr ar dy ben-glin neu rwbath?"

"Nag wyt siŵr! Pobl sy'n gofyn i rywun briodi sy'n gwneud hynny, y lob."

"Be os wneith hi ddeud 'Na'? Faswn i'n teimlo'n rêl ffŵl wedyn."

"Jyst galwa hi'n hen ast."

"Ond dydy Lowri ddim yn ast!"

"Nac ydy, dwi'n gwbod. Jyst gwna'n siŵr dy fod yn stopio ar ôl deud ei henw hi! Paid â deud 'T'isio mynd allan efo fi, Lowri, yr hen ast?'!"

"O, 'sa hynny'n ofnadwy!"

"Bysa! Ac mi fasat ti yn ffŵl go iawn wedyn, yr hen fêt."

Doedd brechdan jam ac afal a Club oren ddim yn ddigon i ginio. Ro'n i a Dyl wedi mynd yn dena ac ro'n ni'n ddigon main yn barod. Deud y gwir, ro'n i jyst â llwgu. Roedd Ieu yn llygad ei le – ro'n ni angen bwyta'n iawn, hogia fel ni ar ein prifiant. Ond beth oedd yn ein gyrru ni yn ein blaena oedd y syniad hwnnw o gael y trenyrs newydd yn y bocs. Agor y bocs a chlywed yr ogla. Anadlu i mewn, ogla rybyr a lledar a phlastig sgleiniog. Ogla newydd sbon. Byddai'n werth diodda stumog hanner gwag am 'chydig wythnosau eto i gael be ro'n i ei isio yn y pen draw. Dydy cael be rydach chi isio ddim yn hawdd o hyd. Weithia, mae'n rhaid diodda.

Rhwng y pres oedd yn y drôr gwaelod a'r pres cinio roedd gen i ryw £30.96 ceiniog erbyn hyn. Roedd gan Dyl £16 achos £2 roedd o'n gael bob dydd. Roedd o 'di gorfod mynd at yr orthodeintydd un diwrnod a 'di cael bwyd mewn caffi cyn dod 'nôl i'r ysgol yn y pnawn. Doedd o heb gael pres cinio diwrnod hwnnw felly.

Roedd yna rwbath rhyfedd wedi digwydd ers y sgwrs llond ceg o gwstard efo Lowri. Ro'n ni'n fwy o ffrindia ac yn gwenu ar ein gilydd i ddeud 'helô' ar y coridor heb deimlo cywilydd. Ro'n i yn ei gweld hi'n dod o bell ac yn nabod siâp ei grŵp o ffrindia hi ac yn gwbod yn iawn y ffordd ro'n nhw'n symud yn sydyn efo cama bach lawr y coridor. Do'n i ddim yn ei gweld hi yn y cantin rŵan, achos 'mod i a Dyl yn bwyta'n brechdana diflas yn y stafell ddosbarth ac yn dal i deimlo 'chydig bach yn euog. Er, do'n ni ddim yn teimlo mor euog ag yr o'n ni ar y cychwyn.

Un diwrnod roedd Dyl bron iawn â mynd i gael cinio a gwario ei bres yn lle ei gadw fo. Dim ond tanjarîn 'di mynd 'chydig bach yn frown a dwy Ryvita oedd ganddo fo.

"Dwi isio bwyd!" medda fo.

"Lle ma dy frechdan di?"

"Doedd 'na ddim bara ar ôl yn y tŷ neithiwr," atebodd Dyl.

"Does gen inna ddim digon i rannu efo ti, sori," medda fi.

"Na, mae'n iawn. Gas gen i y petha Ryvita ma. Fel bwyta cardbord."

"Ti fod i gael rhwbath arnyn nhw, yn dwyt. Caws neu rwbath, yn de?"

"Wyt mae'n siŵr. Mi fasa'n syniad i ni gael rhwbath wrth gefn ar gyfer dyddia fel hyn. Potyn o uwd fasa'n iawn."

"Yr uwd yna ti'n rhoi dŵr ar ei ben o?"

"Ia, hwnnw."

"Ond o le fasan ni'n cael dŵr 'di ferwi?"

"Cwestiwn da. O le'r Chweched. Ma ganddyn nhw degell. Ma nhw'n cael gwneud panad ..."

"Falle basa Lloyd neu Fflur neu rywun yn ein helpu ni tasa raid."

Brawd a chwaer oedd Lloyd a Fflur a oedd yn byw wrth ymyl Dyl ac roedd eu rhieni nhw'n dipyn o ffrindia.

"Ti'n iawn, dwi'n siŵr basa Fflur yn ein helpu ni. Mi fasa Lloyd yn poeri *chewing gum* neu rwbath fel yna i mewn iddo fo. Dwi am ddod â photia uwd efo fi a'u cuddio nhw yn rhwla yn yr ysgol at yr amser ma hi'n argyfwng arnon ni."

"Fel heddiw?"

"Ia, myn diawl. Ryvita? Bois bach!"

Yn ddistaw bach ro'n inna bron â llwgu hefyd ond yn trio peidio â meddwl am y peth. Ro'n i'n brysio adra cyn Lisa ac yn bwyta fel ceffyl. Dau neu dri thost a phump Weetabix un tro. Ro'n i wedi bwyta tri cyn i Lisa ddod trwy'r drws, wedyn wnes i roi dau arall yn y bowlen er mwyn i Lisa feddwl mai dau o'n i'n fwyta.

Roedd pob dim yn mynd yn iawn tan un noson. Mi ddwedodd Mam un amser swper fod isio prynu mwy o fwyd am yr wythnos achos fod y bara a phob dim yn diflannu'n gynt rŵan. Wnaeth hi ddim rhoi'r bai arna i, dim ond deud fel hyn wrth Dad,

"Mae'r plant 'ma'n tyfu, Colin. Mae'r cypyrdda 'ma'n hanner gwag a newydd fod yn siopa dydd Sadwrn ydw i."

"Ro'n i'n bwyta fel dwn i'm be erstalwm hefyd," medda Dad. "Ro'n i isio bwyd drwy'r amser pan o'n i'n chwara rygbi ar ddydd Sadwrn ac yn labro efo Barry drwy'r wythnos. Deud y gwir, o'n i'n mynd â dau focs bwyd efo fi i'r gwaith – un ar gyfer amser panad deg ac un ar gyfer amser cinio. A bron â llwgu wedyn erbyn cyrraedd adra'n hwyr yn pnawn."

"Wel dwi byth wedi bwyta fel mochyn," medda Mam.

"Dwi wastad 'di trio bod yn weddol ofalus."

"Dyna pam ti mor siapus o hyd, siŵr iawn!" medda Dad a thynnu Mam ato a'i rhoi i ista ar ei lin a gafael ynddi'n dynn. Roedd y ddau'n chwerthin dros y lle wedyn a Mam yn trio torri'n rhydd. Ar adega fel hyn do'n i ddim yn gwbod be i'w wneud na be i'w ddeud. Roedd Lisa 'run fath â fi, ac yn edrych lawr ar ei bwyd yn biwis. Dwi'n siŵr bod Dad yn mwynhau codi cywilydd arnon ni.

8. Faint ydy oed Velcro – pump oed?

Mi ddaeth hi'n ddydd Sadwrn eto. Lisa yn gweithio yn y caffi tan ddau. Dad yn mynd i nôl fan newydd o rwla hefo'i ffrind o'r gwaith a finna'n cael lifft gan Mam i'r dre. Wnes i gymryd tipyn bach mwy o amser i wneud fy hun yn barod a gwneud yn siŵr bod fy ngwallt yn fflat a ddim yn edrych fe tin hwyaden o'r tu ôl. Fflosio fy nannedd hefyd. Do'n i 'rioed 'di gwneud hynna o'r blaen a bron iawn imi dorri 'nhafod efo'r llinyn miniog. Y rheswm am hyn oedd fy mod i yn cyfarfod Lowri ac ro'n ni'n mynd rownd dre a mynd i gaffi i gael diod. Cyfarfod Lowri. Llyncais yn galed. Bois bach! Cyfarfod Lowri! Lowri efo'i gwallt gola a'i llygaid hapus a'i threnyrs Nike Air coch.

Ges i sioc pan ollyngodd Mam fi wrth y stesion a rhoi papur decpunt yn fy llaw i. Falle bod ganddi ddim newid pum punt neu falle fod Lisa 'di agor ei cheg ac wedi deud wrthi 'mod i am gyfarfod Lowri. Ro'n i wedi deud wrth Lisa ac wedi difaru gwneud hynny wedyn. Ma hi'n deud pob dim wrth Mam. Does dim byd yn sanctaidd!

"Wela i di heno, Casanova!" medda Mam gan

chwerthin. "Cofia am y mangos 'na nes 'mlaen."

"Diolch," medda fi a chau drws y car.

Ar y ffordd i gyfarfod Lowri wrth y siop sgidia ro'n i'n trio ffendio be oedd 'Casiova' a be ddaeth ar sgrin fy ffôn oedd ryw biano trydan fel sydd yn y stafell gerddoriaeth yn 'rysgol. Casio VA. Am be oedd Mam yn mwydro?

Ro'n i'n trio peidio â bod yn nerfus wrth gerdded at Coffi-r-us ac roedd o'n help mawr fy mod i wedi dychmygu sut roedd pob dim yn mynd i ddigwydd ac wedi ymarfer deud fy llinell gynta. I ddechra, ro'n i am gyrraedd 'chydig yn gynnar, ond ddim yn rhy gynnar chwaith. Wedyn, ro'n i am sefyll yn trio cadw'n cŵl drwy edrych ar y wefan ffwtbol i weld pwy oedd yn chwara pwy yn y pnawn. Ro'n i'n disgwyl i Lowri gyrraedd wedyn ac mi fyswn i'n deud,

"Hia Lowri, diolch am ddod."

Wedyn, mi fasan ni'n mynd i'r caffi neu i'r siop chwaraeon i edrych ar y trenyrs a gweld petha yn lle gorfod siarad am yn hir. Be os basan ni'n rhedeg allan o betha i'w deud wrth ein gilydd? Mi fasa hynna'n hen beth annifyr.

Ond tydi petha ddim pob tro'n digwydd fel dach chi 'di disgwyl iddyn nhw wneud. Roedd hi wedi troi hanner awr 'di deg, roedd 'na bedwar munud 'di pasio a finna'n trio edrych lawr ar fy ffôn a checio bod 'na neb o blant 'rysgol yn cerdded o gwmpas y lle. Chwech munud wedi pasio ... deg munud ... Doedd hi ddim wedi anfon neges na dim. Oedd hi wedi newid ei meddwl? Oedd hi am aros adra a pheidio dod? Ddylwn i ei ffonio ...?

Llwyth o gwestiynau rhethregol fel yna oedd yn

mynd drwy fy mhen i pan welish i bâr o drenyrs coch yn dod tuag ata i ar hyd y stryd. 'Lowri!' medda fi wrtha fi fy hun, a 'Diolch byth bod hi 'di cyrraedd!' Ond wrth ymyl y trenyrs coch roedd yna bâr o drenyrs arall yn cerdded efo hi. O bell, mi faswn i'n deud mai pâr o Skechers o'n nhw. Rhai glas a 'chydig o binc. Codais fy mhen i edrych ar y perchennog. Iesgob mawr! Gwallt gola, llygaid hapus ... roedd Lowri wedi dod â'i mam efo hi.

Fuodd bron i mi redeg o 'na ond mi fasa hynna'n beth gwirion a phlentynnaidd i'w wneud. Felly, wnes i sefyll yna a gwenu.

"Helô 'na, sori bod ni'n hwyr. Arna i ma'r bai."

Roedd mam Lowri allan o wynt braidd felly ro'n nhw wedi brysio i ddod ata i ac wedi trio cyrraedd ar yr amser ro'n ni wedi'i drefnu.

Wedyn, wnaeth hi droi at Lowri a deud, "Wela i di nes 'mlaen. Hwyl."

Dyma fi'n codi'n llaw i ddeud ta-ra wrth fam Lowri wrth iddi fynd yn fân ac yn fuan lawr y stryd, a throi at Lowri a deud be ro'n i wedi meddwl ei ddeud. Roedd yn bwysig ei ddeud fel 'mod i heb ymarfer ei ddeud o,

"Helô Lowri, diolch am ddod."

"Hia," medda hi a sbio i fyw fy llygaid. Roedd hi'n dal ei phen i fyny heb sbio lawr ar ei thraed na dim byd.

"Ti'n iawn?"

"Ro'n i'n dechra meddwl bod ti ddim yn dod heddiw."

"Sori 'mod i'n hwyr. Roedden ni'n methu ffendio Cynffon. Roedd o 'di cuddio yn rhwla yn y tŷ a ro'n ni'n methu ei ffendio fo."

"Ma'n iawn, siŵr. Lle oedd o'n cuddio?"

"'Di cael ei gau yn yr *en-suite* yn llofft Mam oedd o. Ci dwl."

"Be 'dan ni am wneud gynta? Gweld be sy yn y siop chwaraeon neu fynd i'r caffi?"

"Siop chwaraeon, ia?"

"Ro'n i'n gobeithio bod ti am ddeud hynna. Ty'd 'ta!"

A ffwrdd â ni am y siop a cherdded yn syth i mewn tro 'ma heb basio'r ffenast gynta i weld pwy oedd tu mewn. Mi ges i sbec sydyn arnan ni'n dau, Lowri a finna, ar y sgrin teledu uwch ein penna, yn edrych yn dda efo'n gilydd. Do'n ni ddim yn dal dwylo chwaith. Dim eto, 'de.

Ond fuodd bron i mi gael ffit. Pwy oedd yna wrth wal y trenyrs oedd y boi Velcro na, blwyddyn hŷn na ni yn 'rysgol, sy'n dal i wisgo sgidia heb g'ria. Mae o'n dal ond roedd ei fam yn fach. Er ei bod hi'n lot llai na fo, hi'n amlwg oedd y bos.

Wnaeth o ddim gwenu na dim pan welodd o fi a Lowri'n cerdded tuag ato fo, dim ond mynd i ista ar y sedd feddal lle dach chi'n rhoi trenyrs am eich traed.

Roedd ei fam o yn ffysian o gwmpas y lle fel rhyw iâr. Roedd hi'n gofyn iddo fo pa rai roedd o'n licio a ballu, ac yn deud wrtho fo am gerdded i weld a o'n nhw'n ffitio'n iawn a ddim yn gwasgu a phetha! Faint ydy oed Velcro – pump oed?

"Ti'n meddwl fod nhw'n gwneud trenyrs efo velcro jyst iddo fo?" medda fi'n dawel yng nghlust Lowri, a dyma ni'n dau yn gwenu'n ddistaw bach. Ro'n i'n gwbod fod 'na rai i'w cael, adidas Altasport ydy eu henwa nhw. Wnes i ddim deud hynny wrth Lowri chwaith.

Ond wnes i ddim gwenu'n hir iawn achos pan

gyrhaeddon ni'r wal doedd y ZX100000 ro'n i isio eu dangos i Lowri ddim yna. Roedd y silff fach yn wag.

"Dydyn nhw ddim yna!" medda fi. "Y ZXs 'na ro'n i isio eu dangos i ti."

"Dwi'n gwbod sut rai ydyn nhw," medda Lowri. "Ma nhw yn cŵl."

"Dwi'n gwbod," medda fi. "Bydd raid i fi gael nhw, 'sdi."

"Does 'na na neb arall 'di cael nhw eto yn 'rysgol. Ti fasa'r cynta."

"Ia, dwi'n gwbod. Dwi'n trio 'ngora i hel pres."

Y ferch ifanc – ond hŷn na ni – oedd yn gweithio heddiw, yr un heb ddim mynadd o gwbl i wneud dim, heblaw cnoi gwm. Mi ddaeth hi o'r cefn efo bocs trenyrs adidas glas, cerdded heibio i ni a rhoi'r bocs i fam Velcro.

"Dyma chi. Seis 11," medda hi a gadael i fam Velcro agor y bocs a thynnu'r papur allan ohonyn nhw tra oedd o'n sbio yn ei flaen fel llo.

"Dach chi isio rhwbath?" meddai'r hogan wrthon ni'n dau.

"Jyst dod i edrych," medda fi.

"Diolch," medda Lowri.

A dyna pryd wnes i droi i fusnesu i weld pa drenyrs oedd Velcro yn drio. Ges i gymaint o sioc, bron iawn imi weiddi dros y lle, neu sgrechian. Roedd mam Velcro wedi plygu lawr o'i flaen o ac roedd hi wrthi'n clymu c'ria'r ddwy ZX100000 oedd am ei draed o. Cododd Velcro ar ei draed, sefyll yn dal a sbio lawr ar ei draed yn fodlon braf. Rhoddodd help llaw i'w fam godi ar ei thraed wedyn.

Roedd Lowri wedi sylwi 'mod i'n syllu fel peth gwirion ac yn methu tynnu fy llygaid oddi ar yr olygfa yma. Fy nhrenyrs i oedd y rheina i fod a neb arall. Fi oedd i fod i gael y rheina gynta. Ro'n i'n gweddïo fod Velcro ddim yn mynd i'w cael nhw, eu bod nhw'n rhy gul neu fod ei fam o yn eu gweld nhw'n rhy ddrud i'w prynu iddo fo. Ond na!

"Ti am eu gadael nhw am dy draed neu'u rhoi nhw'n ôl yn y bocs?" gofynnodd ei fam.

"Gwisgo nhw," mwmblodd Velcro.

A ffwrdd â fo allan o'r siop, yn cerdded â'i ben i lawr a gadael i'w fam roi ei hen sgidia fo yn y bocs newydd sbon. Wedyn aeth hi i dalu wrth y til a gadael Lowri a fi i sbio ar ein gilydd a nodio ein penna, yn methu'n lân â choelio beth oedd wedi digwydd.

Daeth y ferch ifanc (ond yn dal yn hŷn na ni) draw wedyn i glirio'r papur oedd yn arfer bod yn y trenyrs roedd mam Velcro wedi ei adael ar ôl, ac mi wnes i ofyn iddi estyn y ZX maint 10 i mi gael ei dangos i Lowri. Roedd hi 'nôl ar y silff erbyn rŵan.

"Newydd werthu pâr o'r rhain," medda hi, yn siarad efo gwm lond ei cheg. "Neis, dydyn?"

"Mmm," medda Lowri a finna efo'n gilydd. Ro'n i dal wrth fy modd efo nhw ac yn mwynhau eu dangos nhw iddi hi a gwrando arni hi yn eu canmol nhw hefyd. Ond rhywsut, doedd petha ddim cweit yr un fath rŵan bod yr hen Velcro 'na wedi'u cael nhw o fy mlaen i.

9. Fflapjac fawr dew fel stepan drws

Yn y caffi fe gawson ni siocled poeth bob un a fflapjac fawr dew fel stepan drws. Ro'n i angen tipyn o siwgwr ar ôl y profiad 'na yn y siop. PTSD! Roedd Lowri yn teimlo drosta i, medda hi, bod rhywun arall 'di cael be ro'n i isio o fy mlaen i.

Mewn ffilmia mae cariadon yn ista ac yn wynebu ei gilydd, ond ista wrth ochr ein gilydd wnaethon ni. Y rheswm am hyn oedd ein bod ni isio dangos petha ar y ffôn. Wrth ochra ein gilydd rydan ni'n ista yn 'rysgol hefyd, siŵr iawn.

"Be ti'n feddwl o'r rhai yma 'ta?" gofynnodd Lowri a dangos llun ar y ffôn o ryw drenyrs do'n i erioed wedi'u gweld nhw o'r blaen. Rhai lledr gwyn o'n nhw, efo lliwia Cymru, gwyrdd a choch lawr yr ochra, tebyg i streips adidas, tyllau mân bob ochr iddyn nhw a gwadnau gwyrdd.

"Mae'r rheina'n smart," medda fi. "Ond ydyn nhw'n newydd sbon?"

"Ydyn siŵr," medda Lowri, "ond ma nhw 'di cael eu gwneud i edrych fel eu bod nhw wedi cael eu gwisgo a 'chydig bach yn fudr."

"Ydyn nhw 'di cael rhywun i gerdded rownd a rownd ynddyn nhw 'ta? Dyna'r job 'swn i'n licio ar ôl gadael 'rysgol."

"Naddo! 'Di cael eu gwneud i edrych fel yna ma nhw, 'sdi."

"Faint ma nhw'n gostio?"

"Faint wyt ti'n feddwl?"

Doedd gen i ddim syniad achos do'n i ddim yn gallu deud pa fêc o'n nhw. Do'n i erioed 'di gweld rhai fel hyn o'r blaen. Mi es i am ryw bris yn y canol, tua 'run faint â phâr o Superstars.

"Chwe deg punt?" medda fi.

"Mwy," medda Lowri.

"Wyth deg punt?"

"Mwy eto,"

"Can punt?"

"Mwy eto. Lluosi efo deg!" medda Lowri ac aros i mi wneud y syms.

"Mil o bunna! Ha! Doniol iawn!" medda fi, yn meddwl bod Lowri yn gwneud hwyl am fy mhen i.

Ond munud nesa mi ddangosodd y llun eto ac roedd y pris uwch ben y trenyrs y tro yma. Mil a saith deg o bunnoedd!

"Wyt ti'n coelio rŵan?" medda Lowri. "Trenyrs Gucci ydyn nhw, Gucci Screener, a sbia, ma 'na gadwyn grisial arnyn nhw!"

"Iesgob! Ma nhw'n gneud i'r ZXs 'na edrych yn rhad."

"Mae pob dim yn gymharol," medda Lowri fel ryw athro. "Rhai fel 'na 'swn i'n licio eu cael beth bynnag. A falle y ca i nhw cyn bo hir hefyd!"

"Be? Sut ti'n mynd i allu fforddio rheina?"

"Aha!" medda Lowri a thapio ochr ei thrwyn efo'i bys dwywaith.

Heblaw am y busnes Velcro 'na, roedd o wedi bod yn ddiwrnod da ac aeth y diwrnod yn well fyth pan gynigiodd Lowri dalu bil y caffi.

"Gei di dalu tro nesa," medda hi.

Aeth Lowri i ddal y bws a cherddais inna adra yn teimlo'n dipyn o foi. Roedd yna dro nesa i fod, felly! Mi oeddwn i ddecpunt yn fwy cyfoethog ac yn gallu rhoi'r papur decpunt cyfan yn y drôr gwaelod ar ôl mynd adra. Teimlad braf. Mi wnes i gofio'r mangos hefyd.

10. "A sut wyt ti, mwnci?"

Y dydd Sul wedyn mi wnes i ddod i ddallt pam bod Lisa yn ei llofft yn fwy nag erioed, a'i ffôn hi'n dal i fynd ping ping ping o hyd ac o hyd. Roedd hi arno fo drwy'r amser heblaw am wrth y bwrdd bwyd. Hyd yn oed ganol nos pan o'n i'n codi i fynd i'r tŷ bach ro'n i'n medru gweld llinell o ola gwyn o dan ei drws hi. Mi fasa Dad a Mam yn gandryll os basan nhw'n gwbod bod hi arno fo'n hwyr yn y nos. Ond roedd ganddi hitha gariad hefyd a doedd hi ddim wedi deud dim byd wrtha i o gwbl.

Lloyd oedd ei enw fo a wnaeth Lisa ddim ddeud dim byd arall amdano fo. Yr unig beth arall wnaeth hi oedd gofyn i Mam os basa'n iawn i Lloyd ddod draw am 'chydig yn y pnawn.

"Iawn, mae'n siŵr ..." medda Mam, "ond does dim isio fo aros yn rhy hir."

Wnaeth Dad deud dim, jyst cario 'mlaen i sbio ar *Match of the Day* oedd o 'di recordio ers noson cynt. Doedd fiw i mi ddeud be oedd y sgôr yn yr un o'r gema neu mi fasa fo'n mynd o'i go'.

Lloyd? Ro'n i'n gwbod am ddau Lloyd. Roedd yna Lloyd bach ym Mlwyddyn 7 efo llais uchel ac yn ennill am ganu. Ac roedd y Lloyd mawr 'na yn byw yn rhwla wrth ymyl Dyl. Hwnnw fysa Dyl ddim yn ei drystio fo i roi dŵr poeth ar ben ei uwd o yn 'rysgol. Roedd hi'n edrych fel mai hwnnw oedd ar ei ffordd draw i'n tŷ ni. Fasa wedi bod yn well gen i weld y Lloyd bach yna'n dŵad yma am de.

Gwallt gola oedd gan Lloyd, 'chydig bach yn gyrliog, dillad trendi a threnyrs Vans du a gwyn. Roedd ganddo fo ryw hen wên slei ar ei wyneb o hyd, fel petai o newydd wneud rhwbath drwg heb gael ei ddal.

Pan ganodd cloch y drws mi sgrialodd Lisa lawr grisia a gweiddi dros y lle:

"Mi a' i!" fel bod neb arall yn codi i ateb y drws. Ro'n i'n meddwl y basan nhw'n dod i'r lle teledu i ddeud helô ond aethon nhw'n syth drwodd i'r gegin ac ro'n i'n medru clywed y ddau yn chwerthin am rwbath a Lisa'n nôl creision a diod iddyn nhw eu dau. Dyma nhw'n dod trwodd wedyn aton ni, heb gynnig dim byd i Mam na finna. Roedd Dad yn y garej yn gwneud rhwbath. Lle da i gadw allan o'r ffordd oedd y garej ac ro'n i bron iawn â mynd ato fo.

"Sut wyt ti, Lloyd?" medda Mam.

"Iawn 'chi, diolch, Linda," medda Lloyd, yn ateb. Wedyn, dyma fo'n sbio lawr arna i a deud fel hyn,

"A sut wyt ti, mwnci?"

Wnes i ddim atab, jyst cario 'mlaen i wylio ryw bysgod bob lliw yn nofio dan y môr yn rhwla ar y teledu. Pwy oedd y Lloyd 'ma'n feddwl oedd o? Galw Mam yn Linda a 'ngalw i yn fwnci. Roedd wyneb Lisa 'chydig bach yn binc a dyma nhw'n mynd allan drwy drws ac am dro i'r parc neu rwla.

"Fo ydy'r mwnci," medda fi wrth Mam ar ôl imi glywed y drws ffrynt yn cau.

"Paid â gwrando arno fo," medda Mam, "trio bod yn gyfeillgar mae o, 'sdi."

"Cyfeillgar? Galw rhywun yn fwnci?"

"Paid â phoeni am y peth!"

"Mi wnaeth o dy alw di wrth dy enw cynta 'fyd. Fel bo' chi'n ffrindia mawr."

"Do," medda Mam, a mynd allan i weld be oedd Dad yn ei wneud yn y garej.

Mi es inna ar ei hôl hi a sbio i mewn i'r garej dros ysgwydd Mam. Ro'n i jyst yn gobeithio nad oedd Dad yn mynd i ofyn i fi am help achos ella baswn i yna drwy'r pnawn a gyda'r nos wedyn.

Lle i barcio car ydy garej i fod ond weles i erioed ein car ni ynddi. Roedd 'na dipyn o lanast yn y garej o hyd achos bod pawb yn gadael pob dim yna. Llond bagia o betha oedd i fod i fynd i siop elusen ond neb 'di mynd â nhw. Ein beics ni, a rhai oedd wedi mynd lot rhy fach i fi a Lisa yn hongian o'r to. Hen danc y pysgod aur oedd gynnon ni erstalwm. Hen ddodrefn o dŷ Nain. Peiriant torri gwair gweddol newydd, a'i dad o a'i daid o! Dau strimyr a llwyth o betha fel rhawia a bwcedi a ballu.

Twls sy gan bawb arall bron yn eu garej ond mae twls Dad i gyd yn y fan. Clwydda felly ydy'r sticyr 'na ar y ffenast gefn sy'n deud bod 'na ddim twls tu mewn. Mae o yna achos bod twls yn betha drud, medda Dad, a dydy o ddim isio i neb dorri drws y fan a'u dwyn nhw i gyd.

Pan synhwyrodd Dad fod Mam a finna yn sefyll yn y drws mi drodd rownd a stopio twtio'r lle.

"Drycha be sy fan'ma?" medda fo wrtha i a phwyntio

at rwbath oedd o dan ryw gwpwrdd oedd wedi dod o dŷ Nain.

Mi gamais dros y petha oedd i fod i fynd i'r siop elusen a sbio i weld be oedd yna. Roedd hi 'chydig yn dywyll yn y garej ac ro'n i'n gallu teimlo fy hun yn anadlu hen lwch oedd 'di hel ers blynyddoedd.

"Tynna nhw allan a rho gadach drostyn nhw."

"Am be ti'n sôn?" medda fi, yn methu gweld yn iawn.

"Y pwysa 'na. Drycha."

Mi welish i nhw wedyn. Cylchoedd llwyd trwm wedi'u gosod ar ben ei gilydd, y rhai mwya ar y gwaelod a rhai llai wedyn, fel dau dŵr carreg ar lan y môr.

"Mae'r bar mawr i'r pwysa mawr 'na a'r baria llai ar gyfer y dymbels o dan y bwrdd 'na yn fan'na, yli."
Do'n i ddim yn siŵr iawn be i ddeud ond roedd Dad wrth ei fodd.

"Mi a' i'r tŷ i nôl cadach i ti," medda Mam.

"Iawn," medda fi wrth Dad. "Mi wna i eu glanhau nhw a'u rhoi nhw yn sownd yn ei gilydd 'ta. Ble w't ti isio nhw wedyn?"

Mae'n rhaid bod Dad yn meddwl dechra ymarfer eto a chael ei hun yn ffit, fel y bobl 'na ar y bocs. Chwysu bob dydd a bwyta letys a ffa a phys. Do'n i ddim cweit yn dallt y peth.

"Fy hen rai i ydyn nhw, 'sdi. Brynes i nhw pan ro'n i'n chwara rygbi. Mi wnes i ac Yncl Roy *gym* bach yn y cwt pren yn yr ardd."

"Be?" medda fi. "Wyt ti'n mynd i ddechra cadw'n ffit eto? Ti'n deud o hyd bod ti'n gwneud digon o symud o gwmpas yn y gwaith bob dydd."

"Dwi dal yn gwneud digon o ymarfer bob dydd, y

lembo. I ti ma'r rhain rŵan, washi!"

Mi wnes i gario'r pwysa crynion a baria bach y dymbels fesul un allan o'r garej. Wedyn, wnes i sleidio'r bar haearn allan o dan y bwrdd a helpodd Mam fi i lanhau'r llwch oddi arnyn nhw.

"Paid â'u rhoi nhw at ei gilydd yn fan'na," medda Dad. "Cer â nhw i dy lofft, ond bydda'n ofalus. Paid â'u gollwng nhw rhag ofn iddyn nhw wneud twll drwy'r llawr."

"Gwylia dy draed hefyd," medda Mam.

Roedd y pwysa'n ddigon trwm ar eu penna eu hunain cyn imi eu rhoi nhw at ei gilydd, yn enwedig y bar mawr. Ges i dipyn o drafferth cario hwnnw rownd cornel y grisia i'r llofft. Hogla hen fetal arno fo. Gwneud imi flasu gwaed yn fy ngheg.

Ond ar ôl eu rhoi nhw at ei gilydd a phob dim wedi clicio i'w le ro'n nhw'n rowlio'n hwylus dan y gwely allan o'r ffordd.

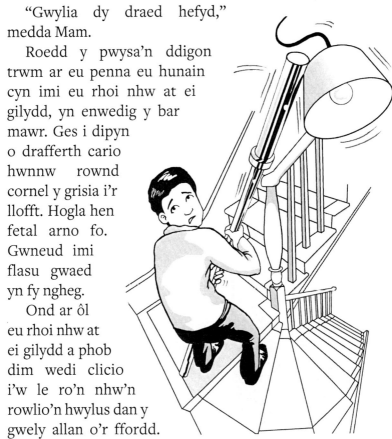

Yna gwaeddodd Mam eto o waelod y grisia:

"Ty'd lawr. Ma Dad 'di ffendio rhwbath arall i ti."

Iesgob! Does na'm llonydd i'w gael.

"Ro'n i'n gwbod fod 'na fainc yn rhwla 'ma. Gen ti bob dim sy angen rŵan! Fyddi di fel Arnie cyn bo hir."

"Grêt!" medda fi, yn ista arni a phwyso 'nôl ar fy nghefn. "A' i â hon fyny hefyd."

"Gad imi sychu o dani," medda Mam.

Doedd y fainc ddim yn ffitio dan y gwely felly roedd hi'n mynd i fod yn fy llofft drwy'r amser yn fy atgoffa i 'mod i angen codi pwysa. Hen bwysa Dad ac Yncl Roy.

11. Deg potyn! Bargen, yr hen fêt

Diolch byth! Dim *bleep* test o'n ni'n ei wneud yn y wers Addysg Gorfforol ar y dydd Llun. Roedd pawb mewn grwpia cymysg yn y neuadd. Er ei bod hi'n dywydd sych tu allan mi oedd Syr a Miss wedi tynnu'r ffrâm ddringo a'r rhaffa a phob dim allan i ni gael eu defnyddio nhw. Ro'n i mewn grŵp da efo Dyl a Kev Gerbil, Siân ffrind Lowri, a Bethan roedd Ieu yn licio'n ddistaw bach. Ro'n i isio dangos i Siân be ro'n i'n gallu gwneud rhag ofn ei bod hi a Lowri'n mynd i siarad nes 'mlaen.

Mi aeth petha'n iawn i ddechra efo neidio dros y ceffyl a ballu, ond pan ddaeth ein grŵp ni at y rhaffa uchel ro'n i'n methu'n lân â chyrraedd hanner ffordd, heb sôn am gyrraedd y top. Mi aeth Dyl ddwywaith, Kev gerbil dair gwaith, Siân unwaith a Bethan dau hanner oedd yn gwneud un. Roedd gen i gywilydd!

Fy mreichia i oedd wedi mynd yn rhy wan ac yn teimlo fel jeli. Mi oeddwn i wedi bod yn ymarfer efo'r dymbels yn ddistaw bach yn llofft noson cynt. Codi nhw fyny uwch fy mhen ddeg gwaith tua pum tro. Cyfri lawr o ddeg ro'n i'n gwneud. Mae o'n haws na chyfri fyny i ddeg. Deud y gwir, ro'n i'n gwbod peth cynta yn bore 'mod i wedi'i gor-wneud hi. Roedd hi'n job codi fy mrwsh dannadd, a phan wnes i godi fy mag ysgol roedd o'n teimlo fel bod rhywun 'di rhoi brics ynddo fo. O na! Os ro'n i'n cael trafferth codi fy mag ysgol ar fy nghefn do'n i byth yn mynd i dynnu fy hun fyny'r rhaff 'na, yn nag o'n i? Gobeithio nad oedd Siân am ddeud dim wrth Lowri, wir.

Roedd Lowri mewn grŵp ym mhen pella'r neuadd ac i'w gweld yn cael hwyl yn clapio ac yn gwthio'r lleill i wneud mwy a mwy er mwyn cael pwyntia i'w grŵp hi. Fe ddaethon nhw'n ail a ninna'n ail hefyd – ail o'r olaf o'n ni. Fy mai fi oedd hynny, mae'n siŵr, er bod Dyl a Kev yn rhy neis i ddeud hynny wrtha i. Doedd Siân a Bethan ddim yn poeni ryw lawer chwaith.

"Arhosa ar ôl am 'chydig," medda Dyl wrth roi ei gwlwm tei dros ei ben yn y lle newid.

"Pam?" medda fi.

"Does gen i ddim byd i ginio."

"I be t'isio aros ar ôl yn fan'ma 'ta?"

"I nôl potyn o uwd yn barod at wedyn."

"Be? Ti 'di prynu potyn uwd?"

"Dwi 'di prynu potia o'r peth! Ro'n nhw bron â chael eu lluchio. Ges i nhw am hanner pris. Deg potyn! Bargen, yr hen fêt. Dwi wedi cuddio nhw yn y to fyny fan'na. Rhaid ti wario pres er mwyn gwneud pres, ti'n gweld!"

"Ma'n rhaid bod yna le gwell i'w cuddio nhw, Dyl! Os gawn ni'n dal ..."

"Dyma'r lle gora! Gawn ni ddim ein dal. Arhoswn ni i bawb fynd, a gwneud yn siŵr fod yr athrawon 'di mynd hefyd 'de."

Felly dyna lle'r o'n ni, yn trio newid yn ara deg ac yn cymryd oes i glymu c'ria ein sgidia. Roedd Ieu 'di mynd fel mellten er mwyn bod yn gynnar yn y cantîn. Ges i amser i ddeud be oedd wedi digwydd dydd Sadwrn efo Velcro a'r ZXs. A deud am fam Lowri'n dod efo hi a phetha felly.

"Ti 'di gofyn hi allan eto 'ta?" gofynnodd Dyl.

"Naddo," medda fi, "ond 'dan ni 'di bod allan, yn do, rownd dre ac mewn caffi."

"Do. Mae'n rhaid bo' chi'n mynd allan efo'ch gilydd felly, tydach."

Roedd pawb arall 'di mynd allan o stafell newid y bechgyn felly dyma ni'n checio bod y neuadd yn wag. Doedd yr un enaid byw yn fan'no chwaith, a'r ffrâm ddringo fawr yn wag a'r rhaffa uchel 'na yn hongian fel rhes o pythons hir, tena i lawr at y llawr.

"Iawn, mae'n glir, yr hen fêt," medda Dyl.

"Ydy," medda fi, "os ydy'r swyddfa'n wag hefyd."

Aethon ni fyny'r grisia a doedd 'na ddim golwg o neb, a'r swyddfa fel roedd hi o'r blaen ond bod y peiriant golchi dillad yn ddistaw. Gwrandawodd Dyl y tu allan i stafell newid y merched a doedd 'na ddim siw na miw i'w glywed. Pawb wedi mynd.

"Deud wrtha i yn syth bin os oes 'na rywun yn dod," medda Dyl.

"Iawn siŵr," medda fi, isio fo frysio yn ei flaen.

"Os oes rywun yn dod, ella bod yn well i mi roi'r caead 'na 'nôl ac aros fyny yn y to nes bod hi'n glir."

Mewn un symudiad mi neidiodd Dyl fyny ar y radiator a gwthio'r caead i fyny'n ofalus efo'i law yn fflat a'i symud o i un ochr. Mi ddoth 'na 'chydig o lwch i lawr.

Mi dynnodd ei hun i fyny wedyn i'r to ac mi welish i ei draed o'n diflannu i'r twll.

"Dyma ti," medda fo a gollwng pot o uwd i lawr i mi ei ddal o.

Gollyngodd ei hun lawr wedyn, rhoi ei draed ar y radiator a rhoi'r caead yn ôl yn ofalus cyn glanio'n ysgafn ar ei draed.

Lwcus ofnadwy, achos be glywson ni oedd y drws yn agor ar waelod y grisia a sŵn traed yn dod fyny dwy stepan ar y tro yn sydyn sydyn.

"A be dach chi'ch dau yn gwneud yn dili dalio fan'ma?" Llais Mr Griffiths.

"Meddwl tybad os oes 'na drip sgio flwyddyn nesa, Syr," medda Dyl.

"Trip sgio? Aros i ni gael un 'leni o'r ffordd gynta, ia? Allan o 'ma rŵan. Diflannwch!"

A dyma ni'n dau yn mynd o 'na reit handi, ac allan â ni.

"Whiw. Agos yn fan'na, 'rhen fêt," medda Dyl.

"Trip sgio be, dwad? 'Sa'n well 'sa ti 'di gofyn am gael gweld yr eiddo coll. Deud dy fod di wedi colli siorts neu rwbath."

"Mm. Ti'n iawn, ond wnes i'n reit dda i feddwl yn sydyn am rwbath, do! Wnes i ddim dy glywed di'n deud dim byd."

"Ro'n i'n trio cuddio potyn o uwd oedd wedi dod lawr o'r awyr am ryw reswm, yn do'n!"

"Joban dda 'fyd. Diolch ti."

12. "Ti'n gwbod be ydy Nike?"

Yn y wers Gelf ro'n ni i gyd i fod i ddod â gwrthrych efo ni. Rhwbath i dynnu ei lun o ac ro'n ni'n cael arbrofi efo stensils a chania sbrê er mwyn creu siapia rhyfedd. Roedd y gwrthrych i fod yn rhwbath pwysig i ni, ac roedd y llun i fod i ddangos pam ei fod o'n golygu cymaint i ni.

Roedd Ruth wedi gofyn a fasa hi'n cael dod â'i chath yn y wers yr wythnos cynt.

"Gei di ddod â llun ohoni," medda Miss ac aeth hi ymlaen, "Dim anifeiliaid anwes a dim ffôn. Unrhyw beth arall yn iawn, o fewn rheswm."

Roedd yna rai o'r hogia wedi dod â'u controls efo nhw, sgidia pêl-droed, a Ieu 'di dod â llun o'i wn saethu llwynog. Roedd rhai o'r merched wedi dod â'u sythwyr gwallt, iPads a llunia o'u gliniaduron glas a gwyn. Roedd golwg ddrud arnyn nhw.

Roedd Max wedi anghofio pob dim am ddod â rhwbath efo fo ond roedd o'n lwcus. Roedd ei bêl o yn y bag plastig dan bwrdd felly estynnodd honno a'i rhoi hi ar y ddesg o'i flaen, wedyn rhoi pensilia i'w stopio hi rhag rowlio. Gymerodd o lot o amser i'w chael hi i aros yn llonydd fel roedd o isio hi, gyda'r swish Nike yn y lle gora iddo fo dynnu'r llun.

Does dim rhaid imi ddeud llun o be oedd gen i. Ro'n nhw'n edrych yn well yr hira ro'n i'n edrych ar y llun ohonyn nhw. Roedd fy llygaid i'n goleuo wrth edrych arnyn nhw. Ro'n i jyst yn hapus yn ista yna yn y lle Celf yn syllu ar eu llun. Doedd trio gwneud llun amherffaith ohonyn nhw fy hun ddim yn mynd i fod yn hawdd. Do'n i ddim isio eu sbwylio nhw.

"Well i ti ddechra rŵan. Ti 'di meddwl digon," medda Miss. Ffordd arall o ddeud fod pawb arall wedi dechra sgetsio.

Ond do'n i ddim yn gwbod lle i ddechra. Trio tynnu eu llun nhw o'r ochr, o'r top, y tu blaen, yr ochr tu mewn ... tynnu llun un ohonyn nhw neu'r ddwy?

Ro'n i ofn cael ffrae y tro nesa fydda Miss yn dod rownd heibio'r lle ro'n i'n ista, felly dyma fi'n dechra tynnu llun rhwbath. Y tair streipan ddoth allan yn fawr ar hyd canol y papur sgetsio ac anghofio am wneud llun y trenyrs eu hunain.

Roedd Max wrthi'n brysur a'i dafod yn sticio allan 'chydig o ochr ei geg wrth iddo fo ganolbwyntio ar dynnu llun da o'i bêl.

"Ti'n gwbod be ydy Nike?" medda fi wrtho fo.

"Cwmni mawr o America sy'n gwneud petha chwaraeon. Ti'n meddwl 'mod i'n thic?" medda Max.

"Ia siŵr, ond pwy oedd Nike dwi'n feddwl, 'de."

"Sgin i ddim clem, 'sdi. Be mae o'n feddwl?"

"Duwies o wlad Groeg. Duwies buddugoliaeth."

"Be ydy hynna yn Gymraeg?"

"Y *Greek Goddess of Victory*."

"Wela i," medda Max, heb wir gymryd sylw o be ro'n i'n deud.

"A ti'n gwbod y swish 'na ti wrthi'n tynnu ei lun o?"

"Ia ... Be ydy hwnna 'ta?"

"Wel mae o fod i ddangos siâp yr adenydd angel oedd gan Nike."

Ro'n i wedi colli Max erbyn rŵan ond unwaith ro'n i wedi dechra siarad trenyrs roedd hi'n anodd iawn i mi stopio.

"Gafodd y ddynas wnaeth lun o'r swish cynta 35 doler gan fos cwmni Nike am ei wneud o! 'Di o ddim yn swnio'n lot fawr heddiw ond roedd o'n dipyn o bres adeg hynny, yn 1971."

"Ia," medda Max i ddangos ei fod o'n dal yn gwrando, oedd ddim wir yn ateb iawn i be ro'n i wedi ddeud. Felly es i yn fy mlaen efo fy nhair streipan fawr fel 'swn i wedi swmio i mewn ar y ZXs. Wrth wneud ro'n i'n meddwl am Lowri oedd ddim yn y dosbarth ar y pryd achos ei bod hi'n cael technoleg efo'r grŵp arall. Meddyliais i mor lwcus o'n i o gael bod yn ffrind neu'n gariad neu'n beth bynnag o'n i iddi hi. Roedd hi'n ddel. Roedd hi'n glên efo fi a phawb arall. Ac yn well fyth, roedd hi'n talu am betha mewn caffi. Dim ond dydd Llun oedd hi ac ro'n i'n edrych ymlaen at y penwythnos yn barod. *Love is in the (Nike) air*!

13. Lloyd a'r banad o de

Heblaw am waith cartra mi fasa'r wythnos honno wedi bod yn wythnos fach dda. Ond mi newidiodd petha'n o sydyn. Ar y nos Iau i ddechra, ac wedyn ar y bore dydd Gwener. Mi ddigwyddodd dau beth cas iawn, deud y gwir. Mae rhai pobl yn deud bod petha drwg yn dod fesul tri. Dwi'n gobeithio bod hynny ddim yn wir.

Ro'n i yn rhan o'r peth cynta ddigwyddodd ar y nos Iau, ond ro'n i yn falch o ddeud nad oedd gen i ddim byd o gwbl i wneud efo be ddigwyddodd yn 'rysgol ar y bore dydd Gwener.

Y dydd Iau i ddechra. Ar y dydd Iau roedd Dyl wedi cael uwd i ginio eto ac wedi rhoi dŵr poeth o'r tap yn y toiled ar ei ben o – ych a fi! Doedd o byth yn golchi ei lwy chwaith. Ro'n inna'n cael crystyn, 'chydig o gaws caled ac afal i bwdin. Beth bynnag, gyrhaeddish i adra cyn Lisa a hel fy mol go iawn cyn iddi gyrraedd – a bwyta rhwbath bach wedyn ar ôl iddi hi gyrraedd. Wel, dyna oedd y cynllun ... ond daeth hi â Lloyd adra efo hi'r pnawn hwnnw.

"Iawn?" medda hi wrth ddod drwy drws. "Ma Lloyd yma 'fyd."

Roedd hi'n deud hynna fel rhyw rybudd imi beidio deud petha gwirion wrthi, dwi'n meddwl. Ro'n i'n gallu ei glywed o yn ei llais hi.

"Iawn," medda fi, ac ista ar y soffa'n ddiniwed yn claddu fy nhost ac yn yfad fy llefrith.

Mi glywis i Lisa'n mynd ar ei hunion i fyny grisia. Daeth Lloyd i mewn ata i ac ista ar gadair Dad.

"Oes gen ti degell?" medda fo wrtha i.

"Oes," medda fi.

"Oes gen ti ddŵr yn dod o'r tap?"

"Oes," medda fi, ddim yn siŵr lle roedd y sgwrs yma'n mynd.

"Cer i wneud panad i mi 'ta," medda fo, a chwythu gwynt o'i geg wnaeth godi ei wallt gola fo fyny oddi ar ei dalcen o am eiliad.

Oedd o o ddifri? Do'n i ddim yn gwbod be i ddeud. Ro'n i'n disgwyl iddo fo chwerthin i dorri'r tensiwn ond wnaeth o ddim, jyst ista yna ar gadair Dad yn syllu i fyw fy llygaid i. Ro'n i'n disgwyl i Lisa ddod lawr ond ddoth hi ddim. Lle oedd hi pan o'n i wir ei hangen hi?

Am ryw reswm mi wnes i godi, mynd i'r gegin, berwi'r tegell a gwneud panad i'r diawl digywilydd. Wedyn mi gerddais i 'nôl a jyst pan o'n i yn ei rhoi hi yn ei law o dyma fo'n deud,

"Tri siwgwr."

Roedd yn rhaid imi fynd yn ôl wedyn, bron iawn â rhegi, i roi siwgwr yn y gwpan a'i rhoi hi 'nôl iddo fo. Ar ôl imi wneud hynny ac ista lawr yn gyfforddus ar y soffa lle ro'n i cynt, dyma fo'n deud,

"Cer i nôl bisgedi i fi. Reit sydyn."

Pwy oedd y Lloyd 'ma'n feddwl oedd o? Roedd o'n ei ddeud o'n gas ac yn fygythiol ond am ryw reswm mi godish i eto i fynd drwodd i'r gegin a nôl be oedd o isio. Wnaeth o ddim deud diolch na dim byd, jyst syllu o'i flaen, ei goesa fo wedi'u hymestyn i ganol y llawr a gwadna ei Vans o yn dangos.

Daeth Lisa lawr yn y diwedd wedi newid o'i dillad ysgol i ddillad newydd, a ffwrdd â nhw allan i'r parc neu rwla. Mi steddais i yna yn dal fy ngwydr llefrith gwag ac yn trio prosesu be oedd newydd ddigwydd.

Fedrwn i ddim diodda Lloyd. Ro'n i wedi cael llond bol arno fo fy nhrin i fel yna. Fe hoffwn i roi cweir iawn iddo fo. Y noson honno cyn mynd i'r gwely mi fues i yn codi pwysa. Achos 'mod i yn flin, ia, ac isio colli stêm, ond hefyd, achos 'mod i isio bod yn gryf i fedru deud wrth Lloyd a phobl debyg iddo fo be ro'n i'n feddwl ohonyn nhw. Wnes i golli cownt faint o bwysa wnes i godi, ac nid jyst y dymbels ond y bar mawr hefyd. Mae yna lot fawr o stwff am sut i godi pwysa ar y we. Ro'n i'n chwys doman yn mynd i 'ngwely.

Gorfod gwneud panad i Lloyd oedd y peth cas cynta ddigwyddodd felly. Ar y bore dydd Gwener y digwyddodd yr ail beth cas. Y bore hwnnw roedd fy mreichia i'n brifo eto, yn brifo'n waeth nag o'r blaen. Ond ro'n i'n siŵr fod yna fwy o wythienna i'w gweld ar fy nwylo i. Neu meddwl o'n i? Mi wnes i anghofio amdanyn nhw'n reit sydyn yn ystod yr ail wers achos gawson ni gyfarfod brys i bawb ym Mlwyddyn 10. Ro'n ni'n colli Saesneg, felly, a doedd neb yn malio llawer am hynny heblaw am Cerys Anna.

Roedd y prifathro yn sefyll ym mlaen y neuadd yn ei siwt smart a'i sbectol o ar ei dalcen o eto. Roedd Miss Celf yn sefyll yna hefyd. Roedd y ddau yn aros i bawb ddod i mewn a setlo. Ro'n ni i gyd yn synhwyro fod yna ryw ddrwg yn y caws unwaith eto. Mr Foberts, pennaeth Blwyddyn 9, oedd wrth y drws a fo wnaeth siarad gynta ar ôl i bawb gyrraedd.

"Bofe da, Blwyddyn 9," medda fo yn reit sychlyd. "Mae yna feswm pam eich bod chi wedi gorfod dod i'f neuadd bofe ma ..."

Ond pan oedd o ar ganol y frawddeg mi wichiodd drws y neuadd ar agor a dyma Sioned ac Emily yn dod i mewn. Esgus perffaith i Mr Foberts fynd yn boncyrs o flaen pawb. Mi waeddodd fel hyn,

"A lle ydach chi 'di bod?"

Dim ateb, jyst y ddwy yn cochi, yn sefyll yna o flaen pawb.

"Wel? Pam fod pawb afall yma a chitha'n hwyf?"
Dim ateb eto.

"Sefwch yn fan'na! Mi ga i aif efo chi wedyn."

Do'n i ddim yn nabod Sioned nac Emily yn dda iawn, ond ro'n i'n teimlo biti drostyn nhw yn gorfod sefyll yn fan'na o flaen pawb tra oedd yr athrawon yn siarad efo ni.

"Fydw i wedi cael siom ofnadwy yf wythnos yma" medda Mr Foberts. "Foeddwn i wedi meddwl fod y matef dif – fifol … sefiws yma yn ein hysgol ni wedi dod i ben. Ond dydy hynny ddim yn wif. Yn waeth na hynny, mae'n edfych i fi fel mai fywun o Flwyddyn 10, ie, fywun o'ch plith chi sy'n ista yma bofe 'ma, sy'n gyf-fifol."

Roedd y lle'n ddistaw ddistaw. Miss Celf a'i sodla'n clecian ar lawr y neuadd oedd y sŵn roedd pawb yn ei glywed rŵan, yn camu 'mlaen i siarad efo ni.

"Dwi wedi cael siom fawr hefyd, wrth gwrs. Fel dach chi'n gwbod, rhan o'r cwrs Celf ydy dod â gwrthrychau efo chi i'ch helpu chi efo'r gwaith. Mae hyn wedi digwydd ers blynyddoedd maith a does dim helynt wedi bod o'r blaen. Ond eleni, yn anffodus, mae rhywun anonest wedi cymryd eiddo rhywun arall. Pâr o sythwyr gwallt drud sydd wedi cael eu cymryd tro yma, ac mae dyletswydd arnon ni fel staff ac arnoch chi fel disgyblion i wneud yn siŵr fod y perchennog yn eu cael nhw 'nôl."

Doedd yna ddim cyflwyniadau na dim, jyst siarad hollol blaen. Daeth Mr Protheroe ymlaen wedyn a'i lais yn araf, yn glir ac yn bendant.

"Mae hyn yn ddifrifol. Yn ddifrifol iawn. Er mai unigolyn, neu unigolion anonest sy'n gyfrifol am hyn, mae'n anffodus fod pawb ohonoch chi yn cael eich llusgo i'r mater. Mae yna restr o bethau wedi cael eu cymryd rŵan. Does yna ddim llawer o amser 'di pasio ers pan oedd Sarjant James a PC Lloyd yma yn siarad efo chi ac yn eich rhybuddio'n union beth oedd am ddigwydd. Dydw i heb gael cyfle i gysylltu efo'r heddlu eto. Rydw i a Mr Roberts wedi dechra edrych drwy'r CCTV i'n helpu ni. Mae pwy bynnag sy'n gyfrifol am y dwyn yma angen help."

Daeth Mr Foberts ymlaen wedyn i ddeud wrthan ni gyd am fynd yn drefnus yn ôl i'r ail wers. Doedd dim rhaid iddo fo ddeud dim achos mi aeth pob un wan jac ohonan ni allan efo'n cynffonna rhwng ein coesa, yn debyg i gŵn pan ma nhw ofn. Roedd hyd yn oed Ricky Tripp, sydd fel arfer yn actio'n ddwl mewn sefyllfa fel hyn, yn edrych yn ddifrifol. Doedd yr olwg ar ei wyneb o ddim yn ei siwtio fo rhywsut ac ro'n i isio gwenu a chwerthin, ond wnes i ddal 'nôl a meddwl am betha trist ac erchyll iawn i stopio fy hun rhag mynd i drwbwl.

14. Roedd hi'n neis clywed ei llais

Jasmin oedd bia'r sythwr gwallt. Wnes i ddim deud wrthi, rhag ofn imi gael slap, ond y gwir oedd bod ei gwallt hi'n edrych yn well ac yn fwy naturiol efo 'chydig o donna ynddo fo. Roedd y merched i gyd yn ei holi hi fel hyn,

"Oooo. Ti'n iawn? Ti'n iawn, Jazzi?" ac yn gwasgu ei gilydd fel Hedd Wyn a'i gariad yn y ffilm welson ni llynadd pan oedd o ar y trên, yn gorfod mynd i ffwrdd i'r rhyfel.

Ro'n i'n falch o fynd drwy giât 'rysgol a cherdded adra efo Lisa.

PING

Lowri oedd yna.

BTN?
Dwi'm adra eto!
Na finna!
Siarad wedyn!
Wedyn!

"Y Mrs, ia?!" medda Lisa a gwenu'n gam.

"Ble ma Mr efo ti 'ta?" medda fi.

"Lloyd ydy ei enw fo ac ma Lloyd yn gweithio yn y pwll nofio ar nos Wener."

"Diolch byth. 'Di o ddim yn dod draw heno 'ta?"

"Be, ti'm yn licio fo?"

"Gweld o'n ddigywilydd dwi."

"Digywilydd? Be ti'n feddwl? Dydy o ddim yn ddigywilydd o gwbl. Mae o'n wahanol i bob hogyn arall dwi'n nabod."

Bobl bach! Oedden ni'n sôn am yr un Lloyd? Y boi mwya annifyr i mi weld yn dod i'n tŷ ni erioed. Fues i bron â deud hanes y banad a ballu ond gyrhaeddon ni adra. Ar ôl nôl 'chydig i fwyta, er fy mod i bron â llwgu, mi aeth y ddau ohonon ni i'n llofftydd. Ro'n ni fel dwy gwningen yn mynd i'w tyllau a dyma ni'n cau'r drysau ar y byd bron yn union yr un pryd. Roedd y ddau ohonon ni yn ein bydoedd bach ein hunain wedyn.

PING a mwy o pings!

Lowri eto? Nage, dim tro 'ma. Dyl.

Ydy dy wallt di'n edrych yn dda wedi'i sythu?
Ha! Doniol iawn. Gwallt digon syth yn barod gen i.
Ieu sy wedi'i ddwyn o, dwi'n siŵr.
Ieu? I be?
I sythu ei short and cyrlis!
Be ti'n feddwl?
Gei di wbod pan ti'n 18!

Dyl 'de. Doedd o ddim hanner call.

PING ...

Lowri.

BTN?
Gorwedd ar gwely. Ti?
Byta Tost.
Ga i weld?

Daeth mop o wallt gola i'r sgrin a llygaid clên. Roedd hi'n neis clywed ei llais hi ...

"Fi sy'n bwyta tro yma ac yn mymblan."

"Ia! Ti ddim i fod i siarad efo bwyd yn dy geg!"

"Medda ti!"

O be ro'n i'n gallu ei weld, roedd Lowri yn ei llofft yn ista ar gadair wrth ei gwely. Roedd 'na dipyn o liwia llachar ar y walia tu ôl iddi hi.

"Tisio gweld fy llofft i?"

"Iawn!"

"Dyma'r gwely, dyma'r cwpwrdd dillad, dyma Dŵd, fy nhedi gora, ond un llygad sy ganddo fo rŵan ... dyma fy nesg a'r lamp ... a dyma fy nghader wrth y ddesg sy'n troi ... a dyma be dwi'n weld allan drwy fy ffenast ..."

Doedd y gwaith ffilmio ddim yn wych ac roedd pob dim wedi troelli yn lliwiau llachar a lliwiau tywyll, wedyn y lliw gwyrdd drwy'r ffenast. Wedyn, 'nôl i wyneb Lowri. Ond roedd yna rwbath wedi dal fy llygad am hanner eiliad. Rhwbath ar y ddesg.

"Pa waith ysgol sy gen ti fan'na?"

"Ar y ddesg?"

"Ia, swot."

"Aros funud ..."

"Y tabl Cemeg 'na 'dan ni fod i orffen ..."

"O ia, dwi 'di dechra hwnna 'fyd. Ma Mam yn

gweiddi ... siarada i efo ti wedyn."

Doedd Mam ddim isio fi go iawn. Fi oedd angen amser i feddwl. Ro'n i'n siŵr 'mod i wedi gweld beiro ar ddesg Lowri – un debyg iawn i'r feiro adidas ddu ac aur honno ges i drwy'r post 'chydig fisoedd cynt. Ond fasa Lowri byth yn cymryd y feiro – doedd hi ddim y teip. Roedd hi'n anodd gweld yn iawn. Falle mai ryw feiro arall oedd hi. Ond roedd hi ar ben y daflen Cemeg 'na oedd ar y ddesg.

PING a mwy o pings.

T'n dod draw fory?
Be? Tŷ chi?
Mam yn deud bod o'n iawn.
Pryd?
Jyst rŵan.
Nage. Pryd ddo i draw?
11
Ocê
Tara x
Tara.

Oeddwn i am roi sws, ta be? Poen oedd petha fel hyn. Dwi'n siŵr 'mod i yn meddwl gormod am ryw betha gwirion fel yna. Aeth y neges heb sws yn y diwedd.

Ar ôl i Mam a Dad ddod adra mi gawson ni swper neis ac aeth Dad allan i'r Griffin am beint neu ddau. Doedd o heb fod yna erstalwm ac roedd o'n mynd er mwyn cefnogi busnesau lleol, medda fo.

"Ti am ddod efo fi, Linda?" gofynnodd pan oedd o ar ei ffordd allan.

"Dim heno," medda Mam. "Ma gan rai ohonon ni waith fory."

"Tar-aaa-aaa!" gwaeddodd Dad, yn amlwg yn edrych ymlaen at fynd allan.

Mi es inna am fy llofft i godi pwysa a defnyddio'r bar mawr a'r dymbels. Roedd gen i drefn reit dda erbyn hyn i ymarfer fy mreichia a fy ysgwydda a fy mrest. Mi wnes i dynnu llun ohonof i fy hun wedyn o 'nghanol i fyny. Llun o'r ffrynt i ddechra ac o'r cefn wedyn.

Ro'n i'n wyn fel potel lefrith ac yn dena. Ro'n i'n cofio Mam yn deud wrth Lisa ar ôl iddi losgi ar y gwely haul mai pobl gwlad y gwynt a'r glaw ydan ni ac mai gwyn ydan ni i fod. Fy syniad oedd cymharu'r llunia wedyn efo llunia faswn i'n tynnu mewn rhyw wythnos neu ddwy i gael gweld faint mwy o fysls fyddai gen i erbyn hynny.

15. Pen dwfn y pwll nofio

Ar y dydd Sul, a Lowri isio fi fynd draw i'w thŷ hi, mi ges i lonydd i gysgu'n hwyr. Roedd hi'n 10.15 arna i yn mynd i lawr y grisia. Roedd Dad yn gwylio *Match of the Day*, siŵr iawn, ac yn edrych dros y penderfyniadau camsefyll eto ac eto ac yn deud rhes o ebychiadau fel "Ofnadwy!" a "Gwarthus!" a "Diawledig! a "Specsavers!" os oedd Caerdydd wedi cael rhyw gam. Lwcus mai dim amdana i roedd o'n sôn.

Doedd 'na ddim golwg o Lisa, ac roedd Mam wrthi yn smwddio twmpath mawr o ddillad o'r fasged.

"Ga i lifft i'r pwll nofio, plis, Dad?" medda fi.

"Ydy dy fam isio mynd i siopa bwyd?"

"Mam, t'isio mynd i siopa bwyd?"

"Nachdw, dim bore 'ma."

"Nachdi, dim bore ma."

"Iawn. Mynd i nofio wyt ti?"

"Ia. Dyna pam bod pobl yn mynd i'r pwll nofio!"

"Mi gei di gerdded yr holl ffordd os wyt ti'n trio bod yn glyfar," medda Dad, ond ddim yn gas chwaith, a rhewi *Match of the Day* jyst pan oedd rhywun yn cymryd cic gornel. Câi o weld wedyn oedd 'na rywun am sgorio, ta be.

"Ty'd 'ta, poen!" medda fo wrtha i wrth godi'n sydyn a mynd i nôl ei sgidia brown Gore-tex sydd yn para am byth.

Molchais yn sydyn, llyfiad cath, gwneud fy ngwallt. Wedyn, rhoi fy nghrys Brasil a fy jîns gora amdana i. Gazelles glas am fy nhraed. Bag nofio yn fy llaw.

"Côt!" medda Dad. "Mae hi'n reit oer, 'sdi."

Ma Dad yn gyrru car yn wahanol iawn i Mam. Dydy o ddim yn teimlo fel yr un car. Ma pob dim yn gynt o lawer, a sŵn yr injan i'w glywed yn dynn wrth fynd drwy'r gêrs. Mae'r radio'n lot uwch hefyd. Pob troad yn y ffordd yn fy nhaflu i un ochr, pob stop yn taflu fy mhen i 'mlaen, fel 'swn i'n rhoi hedbyt i rywun anweledig.

Ond roedd hynny'n well na cherdded neu orfod mynd ar y beic.

"T'isio ni nôl Dyl?" medda Dad.

"Nagoes, 'di o ddim yn dod heddiw."

"Efo pwy ti'n mynd 'ta?"

"Max."

"'Di hwnnw'n byw yn agos at y pwll?"

"Ydy. Diolch, mi ffendia i fy ffordd fy hun adra."

"Ffonia os oes angen. Paid â boddi."

"Diolch."

Cerddais tuag at y pwll nofio, a chlywed ein car ni'n sgrialu mynd am adra. Jyst pan o'n i'n clywed ogla clorin a gwres mawr yn dod drwy'r drysau, mi stopiais a throi ar fy sawdl. Rownd gornel i fan hyn oedd tŷ Lowri. Tŷ pâr eitha newydd, rhif 27. Gan fy mod i wedi meddwl beth oedd yn mynd i ddigwydd mi gerddais i yn syth yno, agor clicied y giât a rhoi cnoc ar y drws. Fel ro'n i wedi meddwl, mam Lowri wnaeth ateb, ond ro'n ni wedi gweld ein gilydd yn sydyn yn y dre, yn doedden ni. Roedd ei chroen hi'n fwy brown nag o'n i'n gofio ac roedd hi'n gwisgo dillad llwyd sborti a threnyrs Lacoste gwyn. Lacoste-a-lot ddwedodd Dad pan dries i ei gael o i brynu rhai iddo fo ei hun un tro.

"Bore da," medda fi. "Sut hwyl sy bore 'ma?"

"Iawn 'sdi, sut wyt ti?"

"Iawn, diolch."

Roedd Lowri yn y gegin wrthi'n estyn bisgedi o'r popty efo menyg mawr pinc. Amseru perffaith. Roedd y bisgedi'n edrych yn neis ofnadwy ond roedd rhaid i ni aros iddyn nhw oeri tipyn bach.

"Yn sbesial i ti," medda hi.

Roedd hi'n boeth yn y gegin a drws y popty ar agor. Ro'n i'n gallu teimlo fy hun yn cochi, yn enwedig ar ôl sylwi fod rhai o'r bisgedi yn siâp calon. Ro'n i isio bwyta rheiny cyn i'w mam hi eu gweld nhw.

"Diolch i ti, ma nhw'n edrych yn neis ofnadwy."

"Helpa dy hun, dwi jyst yn mynd i hel fy mhetha."

Steddais yna yn y gegin yn bwyta'r calonnau ac yn sbio ar y magnets lliwgar ar yr oergell. Tenerife. Malaga. Costa del Sol. Mallorca. Do'n i heb fod i'r un o'r llefydd yna ond roedd 'na un magned o dan y lleill yn deud 'Llandudno', ac ro'n ni wedi bod yn fan'no rywdro. Ro'n i'n cofio'r holl felinau gwynt yn y môr a Dad wrth ei fodd efo nhw.

"O ciwt," medda Lowri. "Ti 'di bwyta'r siapiau calonnau i gyd ond gadael un i fi."

"Do siŵr," medda fi, yn cytuno efo hi ond heb feddwl am y peth, a deud y gwir.

"Dy ddillad nofio di sy'n y bag?"

"Ia."

"Wnest ti ddeud wrth dy dad bod ti'n mynd i nofio yn lle deud bod ti'n dod i fan 'ma, do?"

"Do!"

"Felly well ni fynd i nofio, dydy?"

"Iawn," medda fi'n trio actio'n cŵl. Do'n i ddim wir isio mynd i nofio ond roedd Lowri'n glyfar ac wedi dallt yn iawn be oedd gen i yn y bag.

Mi roddodd mam Lowri £10 iddi dalu i ni fynd i nofio a chael rhwbath i gnoi ar ôl bod. Fyddai ddim rhaid imi wario'r £3 roddodd Dad imi, felly, a gallwn i roi hwnnw yn y drôr gwaelod. Roedd pob ceiniog yn help.

Mi newidiais yn sydyn fel mellten er mwyn cyrraedd y pwll nofio a bod yn y pwll cyn i Lowri gyrraedd. Neidiais i mewn dros fy mhen heb drio'r dŵr gynta ac mi aeth o â fy ngwynt i am eiliad fach.

Mi basiodd 'na bum munud cyn i Lowri ddod allan o'r lle newid. Roedd hi mewn dillad nofio coch ac yn edrych yn dalach wedi clymu ei gwallt yn fynsen ar y top fel Gareth Bale. Roedd hi'n edrych yn ddel ac roedd ei chorff hi'n siapus. Codais fy llaw arni o'r dŵr gan syllu i'w llygaid hi'r holl ffordd nes iddi gyrraedd ochr y pwll. Do'n i ddim isio iddi feddwl 'mod i yn edrych ar ddim byd arall achos ro'n i yn ei hoffi hi ac isio dangos fy mod i yn ei pharchu hi hefyd.

Daliodd ei thrwyn a neidio i mewn gyda'i thraed gynta. Gawson ni 'chydig o rasys ar draws y pwll a thrio osgoi'r plant bach oedd yn nofio reit o dan y dŵr ac yn codi fel morloi bob hyn a hyn. Fe ddalion ni ddwylo a thrio gwneud roli polis a phethau gwirion fel yna. Daeth hi ar fy nghefn i a gafael yn fy sgwydda i a dyma fi'n trio nofio i'r pen dwfn. Suddo wnes i cyn cyrraedd y pen pella un a dod fyny am wynt pan o'n i bron iawn â boddi.

Chwerthin mawr wedyn.

A dyna lle ddigwyddodd o. Yng nghornel y pen dwfn. Dim ond ni ein dau a'r byd i gyd wedi'i gau allan. Ro'n ni'n wynebu ein gilydd ac yn dal dwylo, yn cicio'n traed yn lle bo' ni'n suddo.

"Tyrd o dan y dŵr," medda fi. "Chwytha dy wynt allan wrth fynd ac mi fydd dy draed di'n cyffwrdd y gwaelod wedyn."

"Iawn," medda hi. "Ar ôl tri ..."

Gymeron ni wynt mawr a lawr â ni'n anadlu allan yn ara deg a swigod bach yn codi o'n cwmpas ni ym mhob man. A phan gyrhaeddon ni waelod y pwll, dyma ni'n dau

yn gwasgu ein gilydd yn dynn a dyma ni'n cusanu o dan y dŵr, a'n gwefusa ni'n dal yn sownd yn ei gilydd wrth i ni godi 'nôl i'r wyneb eto.

Mi gymeron ni wynt mawr a chwerthin. Dal ar yr ochr wedyn a chario 'mlaen i gusanu'n braf. Ro'n i wedi bod yn y pwll nofio gannoedd o weithia. Yn y pwll ro'n i'n cael gwersi nofio pan o'n i'n bedair oed ac yn dod i'r galas nofio a ballu. Dod yma hefyd i bartis pen-blwydd a chwrdd â Dyl neu Max ar ddyddia Sadwrn. Ond hogyn bach o'n i adeg hynny. Heddiw, roedd y pwll yn lle hollol wahanol. Ro'n i wedi tyfu fyny. Ro'n i efo fy nghariad ac ro'n ni'n cusanu.

Ond yn fwya sydyn daeth 'na chwiban uchel, digywilydd i dorri ar draws fy ecstasi i.

Roedd y boi ar ddyletswydd yn ista ar y gadair uchel, chwiban yn ei geg, yn edrych arnon ni ac yn pwyntio ei fys at y poster mawr efo cartŵns ar y wal oedd yn dangos rheolau'r pwll nofio. Dim bomio ... Dim rhedeg ... Dim cusanu, 'No petting' yn Saesneg – be ar y ddaear ma hynny'n feddwl?

Roedd 'na bobl a phlant yn sbio arnon ni felly dyma fi yn mynd yn ôl dan dŵr a dyma Lowri'n gwneud yr un fath gan roi ei llaw dros ei cheg yn golygu 'Wps'. Ro'n i'n gallu deud ei bod hi'n chwerthin.

Aethon ni allan o'r pwll yn reit fuan wedyn. Lowri aeth gynta. Mi arhosais i am ryw bum munud wedyn yn y dŵr yn meddwl am y petha oedd newydd ddigwydd. Gawson ni ddiod poeth yn y caffi.

Doedd 'na ddim llawer o fisgedi ar ôl pan ddychwelon ni 'nôl i'r tŷ. Roedd 'na gar du, 'chydig bach yn fflash 'di parcio tu allan. Tad Lowri oedd 'di dod draw i ddeud

'Helô'. Do'n i heb ddisgwyl hyn. Boi bach cryf efo trwyn bocsar oedd o. Symud yn sydyn. Sgidia Timberland, lliw tywod. Bron â gorffen ei baned o goffi. Doedd Lowri heb ddeud llawer am ei thad ond roedd o'n foi digon clên, yn holi am 'rysgol a ballu. Roedd o ar frys medda fo, a dyma fo'n codi ar ei draed, rhoi sws sydyn i Lowri ar ei thalcen, a ffwrdd â fo heb ddeud dim byd wrth fam Lowri.

Roedd y pasta ges i ginio yn neis ofnadwy. Daeth Mam i fy nôl i wedyn o ben y ffordd i dŷ Max.

16. "Ti 'di cal llond bol ar yr uwd 'na?"

Ro'n i'n teimlo'n rêl boi yn mynd i'r ysgol dydd Llun ac yn meddwl mai nofio bob dydd Sul fyddai fy hobi newydd rŵan. Ro'n i'n edrych ymlaen i weld Lowri ond yn nerfus yr un pryd. Es i nôl Dyl ar y ffordd i'r ysgol, er bod o 'chydig bach pellach imi gerdded.

"Faint sy gen ti rŵan?" medda fo.

"Dwi 'di hel wyth deg un punt a phedwar deg naw ceiniog," medda fi.

"Gen inna saith deg rhwbath," medda Dyl. "Ges i fwy o bres pen-blwydd nag o'n i wedi feddwl."

"Mae hynna'n dda," medda fi. "Ond fydd raid ni hel mwy eto ..."

"Bydd, ma siŵr," medda Dyl. "Dwi 'di cael llond bol ar y blydi uwd 'ma o hyd."

"Sa'n well 'sa ti'n dod â siwgwr neu rwbath i'w felysu fo."

"Ti'n iawn! Iesgob, ma'n ddiflas."

"Ti'n cael sbario dwyn bara, be bynnag, dwyt."

"Yndw. Ti 'di gweld y Nike Vapormax Flyknit 3.0 Blue Fury?"

"Do. Smart, dydyn? Ma'r Nike Presto Fly World

Skylight yn cŵl 'fyd."

"Rhai merched 'di rheiny, ia?"

"Ia?"

"Y Pegasus 'na 'swn i'n hoffi, be bynnag."

"Rheiny wyt ti yn licio, 'de."

"Bydd raid i ti helpu fi amser cinio eto, plis. Ar y lwcowt. Ma 'na glybia chwaraeon felly fydd yr athrawon allan heddiw," medda Dyl.

Gafodd pawb siom a hanner yn y wers Addysg Gorfforol. Ro'n ni gyd wedi newid fel arfer ond chawson ni ddim gwneud dim byd, jyst llenwi ryw holiadur iechyd roedd y Chweched isio i ni lenwi. Gymerodd o dros hanner awr ac wedyn doedd 'na ddim amser i wneud dim byd. Roedd Ieu wrth ei fodd ac wedi gwisgo'i dei a phob dim er mwyn ei heglu hi i fod yn gynta yn y ciw yn y cantîn. Ogla tost a chig moch yn dod â dŵr i'w ddannedd o.

Ro'n i'n trio anadlu drwy fy ngheg rhag 'mod i'n ei arogli fo, a finna gymaint isio bwyd ac amser cinio i'w weld mor bell i ffwrdd.

Dwy wers Maths wedyn Celf lle glywes i dipyn am gampau anhygoel tîm Max dros y penwythnos. Arhosais am Dyl wrth y lle DT – roedd o a Wyn yn gorfod gorffen rhwbath cyn dod am ginio. Bwytais fy mrechdan Marmite ac afal wedyn. 'Swn i'n cael diod o ddŵr nes 'mlaen o'r tap.

Cerddon ni'n dau am y lle addysg gorfforol. Clybia Blwyddyn 7 oedd y diwrnod hwnnw, ac ro'n nhw ar eu ffordd allan am y caeau mewn 'chydig funuda, a Syr a Miss ar eu hola nhw wedyn. Roedd y lle'n wag, dim golwg o neb o gwmpas, felly i fyny â Dyl ar y radiator, codi'r caead ac i mewn i'r tywyllwch.

A dyna pryd yr agorodd y drws ar waelod y grisia a rhoddodd Dyl y caead yn ôl a chau ei hun i mewn yna'n reit sydyn. Dwy ferch o Flwyddyn 7 ddaeth fyny'r grisia, a dyma nhw'n sgipio heibio imi a mewn i'r swyddfa i nôl ffon hoci Miss. Ro'n nhw'n chwilio am rwbath arall hefyd ar y ddesg ac yn codi'r papurau a ballu ond yn methu ffendio be ro'n nhw isio. Ac i ffwrdd â nhw wedyn.

Tynnais fy ffôn o fy mag. Sgwennais neges i Dyl.

PING

Sŵn bach uwch fy mhen yn rhwla.

Agos! Clir rŵan! Ty'd lawr!
SHHH!

Oedd yr ateb ges i 'nôl.

Roedd y pedwar munud aeth heibio wedyn fel oes. Be ar y ddaear oedd Dyl yn ei wneud fyny fan'na? Be faswn i'n ddeud os basa Syr yn dod i mewn eto fel wnaeth o tro dwetha?

PING

Clir?
Ydy. CMON

Mi agorodd y caead yn sydyn, daeth potyn o uwd hanner pris lawr o'r to i mi ei ddal a dyma Dyl yn gollwng ei hun y tro yma mewn brys, reit i lawr heb roi ei droed ar y radiator.

"Cer!" medda fo.

Roedd o'n edrych yn llawn panig wrth neidio 'nôl fyny i roi'r caead yn ei le.

Panig a rhwbath arall hefyd. Mi ddaeth allan ar fy ôl i'n reit sydyn wedyn.

"Ty'd wir!" medda fo, allan o wynt. Ac i ffwrdd â ni'n dau am y toiled i gael dŵr poeth iddo fo a dŵr oer i mi. Ddwedodd Dyl ddim gair wedyn. Iawn, roedd o isio bwyd ond doedd yna ddim gair i'w gael ganddo fo. Roedd o'n sbio lawr ar ei sgidia. Doedd o ddim yn sbio arna i o gwbl.

"Ti 'di cal llond bol ar yr uwd 'na?" medda fi, 'nôl yn y stafell gofrestru.

"Do."

"Ti'n iawn? Be sy?"

"Ti ddim yn mynd i hoffi clywed hyn, yr hen fêt."

"Be, ti'n mynd 'nôl i gael cinio 'rysgol?"

"Gwaeth na hynna," medda fo.

Do'n i ddim yn gwbod be i'w ddisgwyl ond roedd o'n edrych yn reit sâl a ddim yn codi ei ben i fyny i siarad.

"Be sy, Dyl?" medda fi. "Ti'n sâl?"

"Dwi'n iawn. Ond ... Lowri."

"Lowri? Be am Lowri?"

"Pan o'n i yn y to yn nôl yr uwd afiach 'ma ... mi oedd 'na ola'n dod fyny yn un lle drwy'r teils ar y to ..."

"Ia, teilsan 'di symud."

"Ia, a do'n i ddim yn medru stopio fy hun rhag sbio lawr drwy'r twll lle roedd y gola'n dod ..."

"Sbio lawr i stafell newid y merched?"

"Ia, 'na chdi ..."

"Ond Dyl! Fedri di ddim gwneud hynna, siŵr iawn!"

"Dim byd fel yna, siŵr! Chwilio am ffordd arall allan

o 'na o'n i, 'de?"

Roedd Dyl yn amlwg wedi dychryn ac yn cael trafferth dweud ei ddweud.

"Ond roedd y lle'n wag, yn doedd? Doedd 'na neb yno ... nag oedd?"

"Roedd y lle yn wag, oedd, dim ond dillad a bagia a ballu yn hongian ar y pegia, a sgidia ysgol pawb ar lawr ... llanast, deud y gwir ..."

"Be sgynno Lowri i wneud efo hyn 'ta? Dwi ddim yn dallt."

Cododd Dyl ei ben rŵan i siarad ac edrych arna i. "Roedd Lowri yna, yr hen fêt. Yn sbio drwy'r bagia a ballu ..."

"Be? Paid â malu ... ar ben ei hun?"

"Ia, do'n i'm yn gallu gweld neb arall. Dyna pam ro'n i 'chydig yn hir yn .."

Mi orffennodd Dyl ei frawddeg ond wnes i ddim clywed ei diwedd hi. Ro'n i wedi dychryn yn ofnadwy. Roedd yna ddarnau jig-so yn mynd i'w lle yn fy mhen i a do'n i ddim eisiau iddyn nhw ffitio i'w lle o gwbl.

Y petha oedd wedi cael eu dwyn yn ein dosbarth ni …

… yr heddlu yn dod i'r ysgol …
… mwy o betha'n diflannu …
… a fy meiro adidas i … tybad?

"Wyt ti'n hollol siŵr, Dyl?"

Yn anfodlon braidd, mi chwiliodd Dyl am rwbath ar ei ffôn. Llun.

Roedd hanner y llun yn dywyll ac roedd y gornal waelod yn ola. Roedd hi'n ongl ryfedd iawn, yn debyg i be dach chi'n weld wrth gerdded i mewn i 'Sgidlocyr. Gweld eich hunan o'r cefn, efo camera yn sbio lawr arnoch chi.

Doedd 'na ddim wyneb yn y llun, ond ro'n i'n gallu deud yn syth mai Lowri oedd hi. Ei gwallt gola hi, siâp ei sgwydda … ac un sbec fach o esgid goch … Caeais fy llygaid a chodi 'mhen, fel taswn i'n sbio i'r awyr efo fy llygaid wedi cau. Do'n i ddim isio i hyn fod yn wir, ond mi oedd o, yn doedd. Lowri! O'n i'n meddwl y byd ohoni hi. Lowri, yn gwneud rhwbath fel yna. Cymryd petha pobl eraill. Dwyn petha pobl eraill.

Ro'n i'n methu meddwl am ddim byd arall drwy'r pnawn na gyda'r nos, a phan bingiodd y ffôn efo negeseuon gan Dyl a Lowri a llwyth o bobl eraill, do'n i ddim isio gwbod. Ffoniodd Dyl ffôn y tŷ yn y diwedd ac wedyn roedd rhaid imi siarad efo fo.

Druan o Dyl – doedd dim bai arno fo o gwbl. Gytunon

ni i ddeud dim wrth neb am y tro ac i beidio dangos y llun i neb chwaith.

Wnes i feddwl a meddwl y noson honno. Ddwedes i ddim byd llawer wrth neb. Mae'n siŵr fod Lisa a Mam yn meddwl 'mod i a Lowri wedi ffraeo neu rwbath. Wel, mi o'n ni mewn ffordd, ond doedd Lowri ddim yn gwbod hynny eto. Roedd Dad yn hwyrach nag arfer yn dod adra felly sylwodd o ddim byd. Ond roedd gen i gynllun yn fy mhen. Do'n i ddim yn siŵr iawn a oedd yn mynd i weithio ond doedd gen i ddim dewis arall.

17. Gafaelais i yn ei llaw a cherdded efo hi am adra.

Ro'n i a Dyl am actio fel bod dim o'i le drwy'r dydd a chario 'mlaen efo'r gwersi a phetha fel arfer. Ro'n i wedi gwneud brechdan sbâr rhag ofn fod Dyl heb un ac roedd dwy fanana yn fy mag. Do'n i ddim am fynd yn agos i'r hen le yna eto i'w wylio fo'n nôl potia uwd. Byddai yna ryw adeiladwr yn trwsio'r to yn y dyfodol yn dod o hyd i botia uwd ac yn methu dallt. Gofynnais i Dyl anfon y llun i mi a'i ddileu o wedyn o'i ffôn.

Mi wenais ar Lowri yn y bore a gofyn iddi a oedd hi'n cael aros am 'chydig ar ôl y gloch hanner awr wedi tri. Roedd bechgyn Blwyddyn 11 yn chwara pêl-droed yn erbyn rhyw ysgol arall a Max yn cael chwara i'r tîm hŷn. Esgus da, felly, dros aros ar ôl ysgol i wylio'r gêm.

Ro'n ni'n sefyll dan y goeden y tu ôl i'r gôl yn wynebu'r gêm yn lle wynebu ein gilydd. A dyma fi'n deud fel hyn, yn syth i'r pwynt,

"Dwi'n gwbod mai ti sydd wedi bod yn dwyn, Lowri."

"Be ti'n feddwl?" medda hi. "Jôc ydy hyn i fod, ia?" a chario 'mlaen i edrych ar y gêm heb edrych arna i o gwbl.

"'Di o ddim yn jôc o gwbl," medda fi a gafael yn ei llaw

hi. Edrychodd hi arna i wedyn.

"Fi? Yn dwyn? I be? Dwi'n cael rhan fwya o be dwi isio gan Mam a Dad."

"Wyt. Pam dy fod di isio mwy eto 'ta?"

"Dwi'n mynd adra," medda hi. "Dwi ddim yn aros fan'ma i wrando ar hyn."

A dyna pryd wnes i ddangos y llun iddi ar fy ffôn.

Aeth eiliad neu ddwy heibio tra oedd hi'n trio dallt llun o be oedd gen i. Wedyn, mi edrychodd mewn syndod a braw. Roedd ei hanadlu hi wedi cyflymu. Dechreuodd ddeud rhwbath a stopio. Dechra eto a methu mynd 'mlaen ...

Mi edrychodd i fyw fy llygaid heb ei hyder arferol. Euogrwydd oedd yn ei llygaid hi rŵan. Mi ddechreuodd gerdded o 'na.

"Gwranda, Lowri," medda fi. "Dwi'n meddwl y medra i dy helpu di allan o'r helynt 'ma ond ma'n rhaid i ti wneud fel dwi'n gofyn."

Mi stopiodd yn stond, troi rownd a gafael yn dynn yndda i. Yn dynnach hyd yn oed nag oedd hi wedi'i wneud ym mhen dwfn y pwll nofio. Do'n i heb ddisgwyl hynna. Roedd yna rai o'r bois pêl-droed yn gweiddi rhyw betha gwirion ac yn chwibanu, ond doedd dim ots gen i o gwbl. Gafaelais i yn ei llaw a cherdded efo hi am adra – wel, i'w thŷ hi.

Roedd hi 'chydig yn ddagreuol wrth droi'r goriad yn y drws ffrynt a deud wrtha i am ddod i'r tŷ. Fasa ei mam hi ddim adra am dros awr arall.

Mi wnaethon ni restr ar ddarn o bapur o bob dim roedd hi 'di gymryd gan bobl yn 'rysgol.

Modrwy Pandora Ruth
Pen inc ddrud Daniel
Clustdlysau
Headphones
Sythwr gwallt
Côt Superdry
Bag colur pinc

Ro'n i'n gwbod am y rhai cynta ar y rhestr ond yn gwbod dim am y lleill. Fuodd hi'n hir yn cyfaddef am y petha ola. Roedd ganddi glustog dros ei bol ac roedd hi 'di lapio ei breichia o'i chwmpas. Doedd hi chwaith ddim yn dal ei phen yn uchel i siarad efo fi erbyn hyn.

"Ti'n hollol siŵr fod yna ddim byd arall, Lowri?" medda fi.

"Yndw," medda hi, yn cau ei llygaid ac yn teimlo cywilydd mawr. "Wyt ti am ddeud wrthyn nhw yn 'rysgol?"

"Yndw," medda fi'n dawel. "Bydd yn rhaid i mi."

"Plis paid," medda hi, yn edrych arna i rŵan. "Plis paid," medda hi eto a phlannu ei hwyneb yn y glustog.

"Bydd yn rhaid i mi," medda fi eto, "os nad wyt ti am roi'r holl betha 'ma 'nôl i'r bobl 'ma oedd eu pia nhw."

"Ond fedra i ddim."

"Pam?"

"Dydyn nhw ddim gen i. Dwi wedi gwerthu nhw ar y we."

"Pob dim?"

"Do! Pob dim. Wel ... heblaw dau beth. Mae'r sythwr gwallt dal efo fi a ..."

Mi redodd hi i fyny'r grisia a dod 'nôl lawr mewn chwinciad.

"... hon."

A dyma hi'n rhoi fy meiro adidas ddu ac aur yn ôl i mi.

"Dwi wir yn sori."

"Diolch," medda fi. "Faint o bres sy gen ti 'ta? Dyle bod gen ti lwyth ar ôl gwerthu rheina i gyd."

"Dim digon i dalu pawb yn ôl. Mi wnes i eu gwerthu nhw'n sydyn ac yn rhad i bobl o bell i ffwr.'"

"Faint sy gen ti?"

"Ryw £25 ar ôl. Dwi 'di wario fo ar betha i fi fy hun ac i Mam. Presant pen-blwydd i Siân hefyd. Mae o jyst 'di mynd ..."

Ro'n i wedi amcangyfrif fod cyfartaledd pob dim ar y rhestr yna werth tua £30. Roedd angen tua £200 ar Lowri, felly, i dalu pawb yn ôl.

Oeddwn i am roi fy mhres ZX100000 iddi i'w helpu hi? Byw ar grystia am wythnosa i hel pres, a'r pres hwnnw yn mynd i gyd wedyn? Fyddai o'n dal ddim yn ddigon. £105 fyddai hynny.

"Dwi'n mynd rŵan," medda fi. "Dwi jyst isio ti wneud cyfrif ffug ar dy ffôn. Galwa dy hun yn rhwbath, ac anfon neges i bawb ti 'di dwyn ganddyn nhw."

"Neges yn deud be ...?"

"Yn deud dy fod yn sori a'u bod nhw am gael pres i brynu be ma nhw 'di golli."

"Be, heb roi fy enw?"

"Wel ... ia."

"Iawn," medda Lowri yn sefyll yn y drws, yn crio ac yn rhwbio ei llygaid.

Mi gerddais i ben draw'r stryd a throi rownd. Roedd Lowri'n dal yn sefyll yn y drws yn dal y rhestr bapur yn ei llaw.

18. Ffrind da iawn. Ffrind am oes

Mi gerddais o dŷ Lowri yn syth i dŷ Dyl. Ro'n i'n cerdded yn gyflym a fy meddylia i'n mynd fel trên hefyd. Ro'n i wedi anfon neges iddo fo yn deud 'mod i ar y ffordd ac roedd o'n sefyll yn nhraed ei sanau ar lwybr yr ardd, potel o bop yn un llaw, ffôn yn y llall.

"Sut aeth hi?" medda fo.

"Iawn, gobeithio," medda fi cyn mynd ati i ddeud bob dim wrtho fo.

Mewn bywyd, rydach chi'n dod ar draws ffrindia da ac mae Dyl yn un o'r rheina.

Pan ddwedais wrtho fo ein bod ni ryw £80 yn brin mi gynigiodd y pres roedd o wedi bod yn ei hel ers wythnosa i Lowri dalu 'nôl i bawb.

Ro'n i'n teimlo'n ofnadwy am y peth, ac eto'n teimlo mor ddiolchgar iddo fo. Do'n i wir ddim yn gwbod be i ddeud. Mi fydd yn rhaid i Lowri dalu ni'n dau yn ôl am hyn, bob ceiniog, a dechra drwy dalu Dyl yn gynta.

"Dyma ti'r hen fêt," medda fo ar ôl rhedag i'w lofft a nôl llond bag o geinioga a darna punnoedd oedd yn reit drwm.

"Sgin ti fag arall, plis, rhag ofn i hwn dorri?"

"Aros eiliad," medda fo.

Ar ôl cyrraedd adra efo'r bag pres 'di cuddio o dan fy nghôt mi wnes i ateb rhes o gwestiyna gan Mam. Pam 'mod i heb anfon neges i ddeud lle ro'n i a ballu, ond roedd hi'n iawn wedyn ar ôl imi ddeud fod Max yn chwara i'r tîm hŷn a 'mod i isio aros i'w wylio fo.

Mi gyfrais y pres i gyd ar ôl swper. Es i lofft Lisa wedyn a gofyn iddi ei newid i bapurau decpunt. Mae hi'n cael ei thalu mewn papurau decpunt yn y caffi ac mae ganddi wad ohonyn nhw. Wnes i ddeud y baswn i'n egluro'r cwbl ryw dro ond roedd hi'n rhy brysur efo blincin Lloyd ar y ffôn. Lwcus, roedd hi'n cytuno i bob dim ac isio fi fynd o'i llofft hi cyn gynted â phosib.

Mi wnes i nôl amlenni bach o'r cwpwrdd yn y gegin a rhoi'r papurau decpunt ynddyn nhw – rhai â £30, rhai â £50. Wedyn, wnes i sgwennu arnyn nhw faint oedd tu mewn, efo fy llaw chwith rhag ofn i rywun nabod fy sgwennu. Job Lowri fasa rhoi enwa arnyn nhw a phenderfynu pwy oedd yn cael faint o bres. Y broblem oedd sut i roi'r amlenni efo'r pres ynddyn nhw i bawb. Eu postio nhw neu drio eu rhoi nhw yn eu bagia yn 'rysgol yn slei bach? Y peth pwysig i Lowri oedd ein bod ni ddim yn cael ein dal.

19. Car du, 'chydig yn fflash

Dwi ddim yn siŵr sut gafodd pawb yr arian yn ôl i dalu am y petha gafodd eu dwyn. Problem Lowri oedd hynny. Ond mi ddangosodd hi'r negeseuon i mi gan bawb yn deud eu bod nhw wedi cael yr arian. Roedd un neu ddau eisiau gwbod pwy oedd yn anfon y negeseuon. Un wnaeth ddeud diolch. Roedd yna siarad mawr yn 'rysgol hefyd, a gwasanaeth cyfan ar fore Llun am y person oedd wedi gwneud yn iawn am ei gamgymeriadau. Y person dienw.

Mi wnes i osgoi gwneud petha efo Lowri wedyn. Do'n i ddim yn gallu credu be roedd hi wedi'i wneud. Ro'n i wedi cael siom ofnadwy, a deud y gwir. Wnaethon ni ddim siarad am tua pythefnos, na chysylltu chwaith.

Roedd hi'n actio'n ddigon normal ond ro'n i'n gallu deud nad oedd hi'n hi ei hun. Y sbarc wedi mynd falle, neu ei bod hi'n dawelach nag arfer yn y gwersi.

Ges i sioc, felly, pan ddaeth hi ata i un amser cinio yn y cantîn. O'n, ro'n i a Dyl yn ôl yn fan'no yn bwyta llond ein bolia. Doedd gynnon ni ddim calon i ailddechra hel pres eto, trenyrs neu beidio.

Ond yn ôl at y sioc. Daeth Lowri ata i yn y cantîn a

gofyn imi a faswn i adra fin nos, a Dad a Mam adra hefyd. Mi ddudais y baswn i ac mi fasa Mam adra hefyd. Do'n i ddim yn siŵr am Dad. Mi ddwedodd hi diolch a ffwrdd â hi. Ro'n i'n bwyta llond powlen o gwstard ar y pryd ac roedd siarad efo hi fel yna eto yn fy atgoffa i o'r adeg pan o'n ni'n hapus efo'n gilydd.

Y noson honno daeth Dyl draw ar ôl swper ac actio 'chydig bach yn rhyfedd. Doedd o ddim yn deud yn iawn be oedd o isio, ond chwaraeon ni gema a sbio ar drenyrs ar y ffôn na fasan ni byth yn eu cael.

Pan ganodd cloch y drws mi waeddodd Mam arnon ni i ddod i lawr. Mi sbïais drwy'r ffenast i weld os oedd 'na gar tu allan. Roedd yna gar yna – car du, 'chydig yn fflash. Car tad Lowri. Be ar y ddaear oedd hwnnw isio?

Pan es i a Dyl lawr i'r parlwr ges i dipyn o sioc. Yn ista ar y soffa rhwng ei thad a'i mam roedd Lowri. Ro'n i'n clywed Mam yn gwneud panad i bawb trwodd yn y gegin. Mi steddodd Dyl ar lawr ac mi steddais i ar fraich y gadair er mwyn i Mam gael lle i ista.

"Sut ydach chi'ch dau?" medda tad Lowri.

"Reit dda, diolch," medda Dyl, a "Iawn, diolch," medda fi.

"Diolch am beidio deud dim," medda Lowri wrth Dyl, "a diolch i ti am ddod yma."

"Iawn siŵr," medda Dyl, 'chydig bach yn ddryslyd. Daeth Mam drwodd efo panad i bawb, hitha hefyd ddim yn siŵr pam bod y bobl yma wedi dod i'n tŷ ni.

Do'n i ddim yn gwbod bod Mam a mam Lowri yn nabod ei gilydd.

"Diolch, Linda," medda mam Lowri. "'Dan ni 'di dod yma i ddeud diolch wrth y ddau fachgen 'ma."

"Am be?" medda Mam a sbio arna i.

"Wel ma hi 'di cymryd amser hir i gael y stori i gyd gan Low 'ma, ond 'dan ni'n gwbod y cwbl rŵan."

"Mae'r ddau yma 'di bod yn ffeind ofnadwy, deud y gwir," medda tad Lowri. Roedd Lowri druan yn edrych ar ei Nike Airs coch drwy'r amser wrth i'w thad hi fynd ymlaen i ddeud yr hanes i gyd wrth Mam. Roedd hi'n amlwg wedi dychryn bod Lowri wedi gwneud peth fel hyn ac roedd hi'n swnio'n llawn cydymdeimlad efo Dyl a fi. Ro'n i'n falch fod Dad wedi cyrraedd yn ddistaw bach a sefyll tu ôl i gadair Mam i wrando ar y stori hefyd.

Ro'n i ofn iddyn nhw sôn am y brechdana slei, ond diolch byth, soniodd neb am hynny.

Ar ôl deud y stori bron i gyd, mi gododd tad Lowri ar ei draed a mynd tu ôl i'r soffa i nôl rhwbath. Mi sgydwodd o law'r ddau ohonan ni a rhoi bagia 'Sgidlocyr yr un i ni. Mi sbeciais i mewn a gweld bocs glas efo tair streipan wen arno fo. Bocs oren oedd gan Dyl. Doedd tad Lowri 'rioed wedi …

Mi adawodd teulu Lowri adeg hynny gyda 'Ta-ras' mawr a 'diolch eto'.

Oedd! Ro'n i'n iawn! Pegasus i Dyl a ZX i finna. Y maint cywir hefyd! Agorais gaead y bocs a dwi'n siŵr fod yna ola mawr wedi dod ohono fo i fy nallu i. Y fersiwn newydd newydd hefyd oedd y rhain, 'chydig yn wahanol i rai Velcro. ZX1OOOOOO o'n nhw.

Roedd Dad a Mam yn sefyll yna, Dad efo'i fraich rownd Mam, yn sbio arnon ni'n dau yn rhoi'r trenyrs newydd am ein traed ac ar ras yn clymu'r c'ria.

Cerddon ni allan ac i lawr y stryd i'w trio nhw. Roedd o fel cerdded ar gymylau esmwyth, braf.

"Wel, yr hen fêt," medda Dyl, "fe gawson ni be o'n ni isio, yn do?"

"Do," medda fi, "mewn ryw ffordd ryfedd iawn."

"Fel yna ma petha weithia, 'sdi," medda Dyl, fel ryw hen ddyn.

Aeth Dyl yn ei flaen am adra, yn syllu lawr ar ei draed ac yn neidio i weld pa mor uchel roedd o'n gallu mynd yn y sgidia newydd. Doedd o'n cofio dim am ei hen drenyrs oedd dal yn tŷ ni a wnes i adael llonydd iddo fwynhau ei hun.

Syllu ar fy ZXs newydd sgleiniog dan ola'r stryd o'n inna hefyd, a meddwl pa mor hollol anhygoel oedd beth oedd gen i am fy nhraed. Wedi'r cyfan, fi ydy Brenin y Trenyrs!

CYFRES ACADEMI'R CAMPAU

Cyfres boblogaidd am bobl ifanc
yn serennu ym myd chwaraeon

Brwydr y Bêl
£5.99

Mae Jo wedi cael ei ddewis, gyda phedwar plentyn arall, i fynychu academi chwaraeon gorau'r byd ar ynys yng nghanol y môr. Ond a yw cyfrinachau'r Academi yn ddiogel ...?

Sôn am Sgarmes
£6.50

Mae Kim wedi bod yn Academi'r Campau ers rhai misoedd, a'r criw yn mynd i gystadlu yng Nghwpan Rygbi'r Byd. Wrth i rymoedd sinistr geisio eu hatal bob cam o'r ffordd, a fydd modd iddyn nhw fod yn bencampwyr?